SE 07

Curso

La diferencia entre aprobar y sacar plaza

Técnico/a Superior en Educación Infantil

Accede a tu **Curso MAD360** y disfruta de los siguientes recursos:

- Técnicas de Memoria 360.
- Test *online*.
- Temario en formato digital.
- Esquemas.
- Planificación de estudio.
- Foro entre opositores.
- Recursos y novedades exclusivas.
- Consulta sobre la oposición y el proceso selectivo.
- Actualizaciones legislativas (Boletines Oficiales).

Para acceder al Curso MAD360* será necesaria la compra de todos los libros para esta especialidad de la edición 2023.

Valida los códigos que encuentras en la última página de tus libros y disfruta de la experiencia MAD360.

Infórmate en: mad.es/registro-campus

NOTA IMPORTANTE:

* El acceso al CURSO MAD360 estará disponible desde junio de 2023 (algunos recursos podrían estar disponibles en fecha posterior). Tendrá una duración de 365 días, desde la validación de códigos, o hasta el 30 de junio de 2024, lo que se cumpla antes.

MAD se reserva el derecho a ampliar dichas fechas.

Técnico/a Superior en Educación Infantil

Junio 2023

Técnico/a Superior en Educación Infantil

TEST Y SUPUESTOS PRÁCTICOS

ROCÍO CLAVIJO GAMERO
Licenciada en Psicología

JERÓNIMO ARMARIO TORO
Diplomado en EGB
Licenciado en Psicopedagogía

MANUEL ALÉS REINA
Diplomado Universitario en Enfermería

M.ª DOLORES RIBES ANTUÑA
Auxiliar de Puericultura, Diplomada en Profesorado de EGB y Licenciada en Filosofía y Ciencias de la Educación
Profesora de Oposiciones al Cuerpo de Maestros de Enseñanza Primaria (Educación Infantil, Educación Especial, Audición y Lenguaje)
Profesora de Oposiciones de Secundaria

MARTA GONZÁLEZ CABALLERO
Diplomada en Dietética y Nutrición Humana
Formadora Ocupacional

Primera edición, junio 2023 (348 páginas)
Derechos de edición reservados a favor de 7 Editores
IMPRESO EN ESPAÑA
Diseño Portada: 7 Editores
Edita: 7 Editores
Avda. San Francisco Javier, 9 · Edificio Sevilla 2 · Planta 11 · Módulos 25-27 · 41018 Sevilla
Teléfono: 954 784 411 · WEB: www.mad.es · e-mail: administracion@7editores.com
ISBN: 978-84-142-7119-3

BLOQUE TEMÁTICO I. ORGANIZACIÓN Y FUNCIONAMIENTO DE UN CENTRO DE EDUCACIÓN INFANTIL

BLOQUE TEMÁTICO II. DESARROLLO INFANTIL Y PSICOLOGÍA

Bloque Temático I: Organización y funcionamiento de un centro de Educación Infantil

Índice de test

TEST N.º 1

Normativa estatal aplicable a la Educación Infantil

1. Los principios generales que regulan la Educación Infantil en la LOE, ¿en qué artículo se incluyen?

a) Artículo 8.
b) Artículo 12.
c) Artículo 13.
d) Artículo 15.

2. ¿En cuántos ciclos se ordena la etapa de educación infantil?

a) 1.
b) 2.
c) 3.
d) 4.

3. Los artículos de la LOE (LOE: Ley Orgánica de Educación 2/06 de 3 de mayo) con las modificaciones de la LOMCE (LOMCE: Ley Orgánica 8/2013, de 9 de diciembre, para la mejora de la calidad educativa) y LOMLOE (Ley Orgánica 3/2020, de 29 de diciembre, por la que se modifica la Ley Orgánica 2/2006, de 3 de mayo, de Educación) que hacen referencia a la Educación Infantil son:

a) Del 12 al 15.
b) Del 11 al 15.
c) Del 13 al 15.
d) Del 12 al 16.

4. ¿Qué artículo de la LOE (LOE: Ley Orgánica de Educación 2/06 de 3 de mayo) con las modificaciones de la LOMCE (LOMCE: Ley Orgánica 8/2013, de 9 de diciembre, parala mejora de la calidad educativa) y LOMLOE (Ley Orgánica 3/2020, de 29 de diciembre, por la que se modifica la Ley Orgánica 2/2006, de 3 de mayo, de Educación) se refiere a la ordenación y principios pedagógicos de la educación infantil?

a) Artículo 12.
b) Artículo 13.

c) Artículo 14.
d) Artículo 15.

5. Según el Real Decreto 95/2022, de 1 de febrero, por el que se establece la ordenación y las enseñanzas mínimas de la Educación Infantil, indica a qué elemento corresponde la siguiente definición: "conocimientos, destrezas y actitudes que constituyen los contenidos propios de un área y cuyo aprendizaje es necesario para la adquisición de las competencias específicas."

a) Saberes básicos.
b) Objetivos.
c) Competencias clave.
d) Situaciones de aprendizaje.

6. ¿Cuál de los ciclos de educación infantil tiene carácter gratuito?

a) Ambos.
b) El primer ciclo.
c) El segundo ciclo.
d) Ninguno de ellos.

7. Según el Real Decreto 95/2022, de 1 de febrero, por el que se establece la ordenación y las enseñanzas mínimas de la Educación Infantil, entre los objetivos de esta etapa no figura:

a) Conocer su propio cuerpo y el de los otros, así como sus posibilidades de acción y aprender a respetar las diferencias.
b) Desarrollar sus capacidades emocionales y afectivas.
c) Desarrollar hábitos cotidianos de movilidad activa autónoma saludable, fomentando la educación vial y actitudes de respeto que incidan en la prevención de los accidentes de tráfico.
d) Desarrollar habilidades comunicativas en diferentes lenguajes y formas de expresión.

8. Indica cuál de las siguientes no es una de las áreas de la educación infantil:

a) Crecimiento en Armonía.
b) Desarrollo afectivo y social.
c) Descubrimiento y Exploración del Entorno.
d) Comunicación y Representación de la Realidad.

9. Según el artículo 1 del Real Decreto 95/2022, de 1 de febrero, ¿cuál es la técnica principal del proceso de evaluación en esta etapa?

a) La entrevista con los padres.
b) Las producciones de los alumnos.
c) La observación directa y sistemática.
d)Todas son correctas.

10. Todas son competencias clave de la educación infantil, excepto:

a) Competencia en autocuidado.
b) Competencia matemática y competencia en ciencia, tecnología e ingeniería.
c) Competencia digital.
d) Competencia emprendedora.

11. ¿En cuántos bloques se presentan los saberes básicos del área de Crecimiento en Armonía?

a) 4.
b) 5.
c) 6.
d) 8.

12. ¿A qué área corresponde el bloque de "Diálogo corporal con el entorno. Exploración creativa de objetos, materiales y espacios"?

a) Crecimiento en Armonía.
b) Desarrollo afectivo y social.
c) Descubrimiento y Exploración del Entorno.
d) Comunicación y Representación de la Realidad.

13. ¿En qué casos se escolarizará a los alumnos con discapacidad intelectual en centros de educación especial o unidades sustitutorias de los mismos?

a) Los alumnos con discapacidad intelectual no se pueden escolarizar en ningún tipo de centro.
b) Siempre.
c) Cuando excepcionalmente sus necesidades no puedan ser atendidas en el marco de las medidas de atención a la diversidad de los centros ordinarios.
d) Nunca. La nueva normativa de educación ha eliminado este tipo de centros, por lo que tiene que ser escolarizados en centros ordinarios.

14. ¿En cuántos bloques se presentan los saberes básicos del área de Comunicación y Representación de la Realidad?

a) 4.
b) 5.
c) 6.
d) 8.

15. El bloque de "El lenguaje y la expresión corporales" se compone de los siguientes saberes básicos excepto:

a) Sonidos, entonación y ritmo.
b) Expresión libre a través del gesto y el movimiento.
c) Desplazamientos por el espacio.
d) Juegos de imitación a través de marionetas, muñecos u otros objetos de representación espontánea.

16. De las siguientes enseñanzas que ofrece el sistema educativo, ¿cuál no pertenece a la educación básica?

a) Educación Infantil.
b) Educación Primaria.
c) Educación Secundaria Obligatoria.
d) Ciclos formativos de grado básico.

17. ¿En qué parte de la LOE se regula la Educación Infantil?

a) En el capítulo I del Título Preliminar.
b) En el capítulo I del Título I.
c) En el capítulo I del Título II.
d) En el capítulo II del Título I.

18. Según el artículo 14 de la LOE sobre Ordenación y principios pedagógicos de la Educación Infantil, los contenidos educativos se abordarán por medio de:

a) El juego.
b) Actividades globalizadas que tengan interés y significado para los niños.
c) Actividades que se enmarquen en las rutinas cotidianas.
d) La creación de hábitos.

19. En relación con la regulación de la evaluación en la Educación Infantil, ¿cuál de las siguientes afirmaciones es incorrecta?

a) En la Educación Infantil, la evaluación será global, continua y formativa.
b) La evaluación en esta etapa estará orientada a identificar las condiciones iniciales individuales y el ritmo y características de la evolución de cada niño o niña.
c) Los criterios de evaluación lo constituyen las distintas tablas de desarrollo infantil utilizadas habitualmente en pediatría y psicología.
d) El proceso de evaluación deberá contribuir a mejorar el proceso de enseñanza y de aprendizaje mediante la valoración de la pertinencia de las estrategias metodológicas y de los recursos utilizados.

20. Los desempeños que se consideran imprescindibles para que el alumnado pueda progresar con garantías de éxito en su itinerario formativo, y afrontar los principales retos y desafíos globales y locales, se denominan:

a) Saberes básicos.
b) Objetivos.
c) Competencias clave.
d) Situaciones de aprendizaje.

Solución al test n.º 1

1. b) Artículo 12. *(Ver epígrafe 2).*

2. b) 2. *(Ver epígrafe 2).*

3. a) Del 12 al 15. *(Ver epígrafe 2).*

4. c) Artículo 14. *(Ver epígrafe 2).*

5. a) Saberes básicos. *(Ver epígrafe 3)*

6. c) El segundo ciclo. *(Ver epígrafe 2).*

7. c) Desarrollar hábitos cotidianos de movilidad activa autónoma saludable, fomentando la educación vial y actitudes de respeto que incidan en la prevención de los accidentes de tráfico. *(Ver epígrafe 3).*

8. b) Desarrollo afectivo y social. *(Ver epígrafe 3).*

9. c) La observación directa y sistemática. *(Ver epígrafe 3).*

10. a) Competencia en autocuidado. *(Ver epígrafe 3).*

11. a) 4 *(Ver epígrafe 3).*

12. c) Descubrimiento y Exploración del Entorno. *(Ver epígrafe 3).*

13. c) Cuando excepcionalmente sus necesidades no puedan ser atendidas en el marco de las medidas de atención a la diversidad de los centros ordinarios. *(Ver epígrafe 4).*

14. d) 8 *(Ver epígrafe 3).*

15. a) Sonidos, entonación y ritmo. *(Ver epígrafe3).*

16. a) Educación Infantil. *(Ver epígrafe 2).*

17. b) En el capítulo I del Título I. *(Ver epígrafe 2).*

18. b) Actividades globalizadas que tengan interés y significado para los niños. *(Ver epígrafe 2).*

19. c) Los criterios de evaluación lo constituyen las distintas tablas de desarrollo infantil utilizadas habitualmente en pediatría y psicología. (Ver epígrafe 3).

20. c) Competencias clave. *(Ver epígrafe 3).*

TEST N.º 2

La organización del centro de Educación Infantil

1. En una estructura organizativa hay que considerar dos aspectos, ¿cuáles son?

a) El organigrama y el proyecto.
b) Las unidades que la componen y sus relaciones.
c) Las personas y los departamentos.
d) Todas son falsas.

2. La estructura organizativa tiene su origen en razones:

a) Derivadas del reparto de poder.
b) De asignación diferencial de responsabilidades.
c) De la distribución del trabajo y las tareas.
d) Todas son ciertas.

3. Las estructuras organizativas pueden clasificarse en:

a) De línea y de Staff.
b) Relacionadas y formalizadas.
c) Articuladas y de coordinación.
d) Verticales y jerárquicas.

4. Señala, de entre los siguientes, cuál no es un principio clave de la organización del trabajo en equipo:

a) Flexibilidad.
b) Consenso.
c) Satisfacción con el *status quo*.
d) Evaluación continua.

5. El principio de liderazgo distribuido implica:

a) Que la reducción de las tensiones favorece el rendimiento del grupo.
b) El objetivo de trabajo debe ser claro.

c) El trabajo se lleva a cabo mediante la cogestión de todos los miembros del equipo.
d) Debe evitarse la rigidez de reglamentaciones.

6. Para el agrupamiento de los alumnos hay que tener en cuenta:

a) Las edades.
b) Los acuerdos y valoraciones del equipo educativo.
c) La flexibilidad en los agrupamientos.
d) Todas son ciertas.

7. El titular de un centro es:

a) Una persona física y/o una persona jurídica.
b) El Consejo Escolar.
c) El Claustro.
d) El Director.

8. Las programaciones didácticas se definen como:

a) La planificación anual del curso.
b) El diseño curricular autonómico.
c) Los instrumentos de planificación curricular específicos para cada área, asignatura o módulo.
d) El currículo implícito de cada centro.

9. La autonomía organizativa se concreta en:

a) El Proyecto Curricular.
b) Las Normas de Organización, Funcionamiento y Convivencia.
c) La Programación General Anual.
d) b y c son ciertas.

10. La aprobación de la Programación General Anual corresponde a:

a) El Claustro.
b) El director, previo informe del Claustro de profesores.
c) El Consejo Escolar.
d) El Equipo de Ciclo.

11. Según la LOE, los órganos colegiados de gobierno de un centro educativo son:

a) Director, Consejo Escolar y Claustro.
b) Director, Jefe de Estudios y Secretario.
c) Director, Equipo Directivo y Consejo Escolar.
d) Consejo Escolar y Claustro.

12. ¿Cuál de los siguientes no es un órgano colegiado de gobierno de un centro educativo?

a) El Jefe de Estudios.
b) Consejo Escolar.
c) Claustro.
d) Todas son falsas.

13. Entre las siguientes funciones hay una que no corresponde al Claustro de profesores, ¿cuál es?

a) Aprobar y evaluar la concreción del currículo y todos los aspectos educativos de los proyectos y de la programación general anual.
b) Elegir sus representantes en el Consejo Escolar del centro y participar en la selección del director en los términos establecidos por la presente Ley.
c) Informar las normas de organización y funcionamiento del centro.
d) Decidir sobre la admisión de alumnos y alumnas, con sujeción a lo establecido en esta Ley Orgánica y disposiciones que la desarrollen.

14. ¿Qué miembro del Consejo Escolar actúa con voz pero sin voto?

a) El representante del Personal de Administración y Servicios del centro.
b) El representante de los padres.
c) El Secretario del centro.
d) Todos tienen voto.

15. Aprobar y evaluar el Proyecto Educativo del Centro es una de las funciones de:

a) El Consejo Escolar.
b) El Equipo Directivo.
c) El Claustro.
d) El Equipo de Ciclo.

16. Señala cuál de los siguientes no es un miembro del Consejo Escolar:

a) El representante del Personal de Administración.
b) El representante del Ayuntamiento.
c) El representante de la Comisión de Coordinación Pedagógica.
d) El Jefe de Estudios.

17. ¿Quién preside el claustro de profesores?

a) El director del centro.
b) El jefe de estudios.
c) El profesor de mayor edad.
d) Se elige por mayoría simple entre todos sus miembros.

18. La responsabilidad de planificar, coordinar, informar y, en su caso, decidir sobre todos los aspectos docentes del centro, es de:

a) El Consejo Escolar.
b) El Claustro.
c) El Consejo y el claustro.
d) Todas son falsas.

19. Aprobar y evaluar la concreción del currículo y todos los aspectos educativos de los proyectos y de la programación general anual es, según la LOE, una función de:

a) El Consejo Escolar.
b) El Claustro.
c) El Director.
d) El Equipo de Ciclo.

20. El Claustro es:

a) Un órgano de gobierno del centro.
b) Un órgano de decisión de la comunidad educativa.
c) Un órgano colegiado de gobierno.
d) Un órgano colegiado de gobierno y de coordinación docente.

21. Ejercer la jefatura de todo el personal adscrito al centro es responsabilidad de:

a) El consejo escolar.
b) El director.
c) El jefe de estudios.
d) El claustro de profesores.

22. ¿Cuál de las siguientes funciones no es competencia del director?

a) Fijar los criterios referentes a la orientación, tutoría, evaluación y recuperación de los alumnos.
b) Impulsar las evaluaciones internas del centro y colaborar en las evaluaciones externas y en la evaluación del profesorado.
c) Proponer a la Administración educativa el nombramiento y cese de los miembros del equipo directivo, previa información al Claustro del profesorado y al Consejo Escolar del centro.
d) Diseñar la planificación y organización docente del centro, recogida en la programación general anual.

Solución al test n.º 2

1. b) Las unidades que la componen y sus relaciones. *(Ver epígrafe 2).*

2. d) Todas son ciertas. *(Ver epígrafe 2).*

3. a) De línea y de Staff. *(Ver epígrafe 2).*

4. c) Satisfacción con el status quo. *(Ver epígrafe 2.1).*

5. c) El trabajo se lleva a cabo mediante la cogestión de todos los miembros del equipo *(Ver epígrafe 2.1).*

6. d) Todas son ciertas. *(Ver epígrafe 2.2).*

7. a) Una persona física y/o una persona jurídica. *(Ver epígrafe 3.1).*

8. c) Los instrumentos de planificación curricular específicos para cada área, asignatura o módulo. *(Ver epígrafe 3.1).*

9. d) b y c son ciertas. *(Ver epígrafe 3.1)*

10. c) El Consejo Escolar. *(Ver epígrafe 3.1).*

11. d) Consejo Escolar y Claustro. *(Ver epígrafe 3.2.1).*

12. a) El Jefe de Estudios. *(Ver epígrafe 3.2.1).*

13. d) Decidir sobre la admisión de alumnos y alumnas, con sujeción a lo establecido en esta Ley Orgánica y disposiciones que la desarrollen. *(Ver epígrafe 3.2.1).*

14. c) El Secretario del centro. *(Ver epígrafe 3.2.1).*

15. a) El Consejo Escolar. *(Ver epígrafe 3.2.1).*

16. c) El representante de la Comisión de Coordinación Pedagógica. *(Ver epígrafe 3.2.1).*

17. a) El director del centro. *(Ver epígrafe 3.2.1).*

18. b) El Claustro. *(Ver epígrafe 3.2.1).*

19. b) El Claustro. *(Ver epígrafe 3.2.1).*

20. d) Un órgano colegiado de gobierno y de coordinación docente. *(Ver epígrafe 3.2.1).*

21. b) El director. *(Ver epígrafe 3.2.2).*

22. a) Fijar los criterios referentes a la orientación, tutoría, evaluación y recuperación de los alumnos. *(Ver epígrafe 3.2.2).*

TEST N.º 3

Diseño de la intervención educativa en el centro de Educación Infantil

1. Así denominamos al currículum que comprende las interrelaciones entre alumnos, las jerarquías, las normas no escritas, las interacciones existentes pero no contempladas en el currículum oficial:

a) Currículum aparente.
b) Currículum oculto.
c) Currículum inconsciente.
d) Currículum abierto.

2. El planteamiento curricular de nuestro Sistema Educativo se caracteriza, entre otros aspectos, por:

a) Establecer con claridad las intenciones educativas y los elementos comunes que deben desarrollarse en la enseñanza que afecta a todos los niños y jóvenes del Estado.
b) Plantear un currículum cerrado.
c) Otorgar al profesorado un papel pasivo en el proceso de desarrollo de las propuestas curriculares.
d) Todas son correctas.

3. ¿A qué nivel de concreción curricular corresponde el siguiente enunciado: "Los centros, como parte de su propuesta pedagógica, desarrollarán y completarán el currículo establecido por las administraciones educativas, adaptándolo a las características personales de cada niño o niña, así como a su realidad socioeducativa"?

a) Primer nivel de concreción curricular.
b) Segundo nivel de concreción curricular.
c) Tercer nivel de concreción curricular.
d) Cuarto nivel de concreción curricular.

4. Entre los criterios para establecer la secuencia y organización de los contenidos podemos citar:

a) Características psicoevolutivas de los niños y aprendizajes.
b) Elección de un tipo de contenido como eje vertebrador de la secuencia.

c) Interrelación: los contenidos deben estar vertebrados entre sí.
d) Todas son correctas.

5. Entre los documentos que conceden autonomía pedagógica a un centro están:

a) Memoria anual.
b) Programaciones didácticas.
c) Normas de convivencia, organización y funcionamiento.
d) Proyecto de gestión.

6. En cada curso escolar, los centros recogen la actividad anual que se pretende llevar a cabo, en un documento, que se denomina:

a) Programación General Anual.
b) Proyecto educativo.
c) Proyecto de gestión.
d) Memoria anual.

7. Las Normas de convivencia, organización y funcionamiento, confieren un tipo de autonomía al centro:

a) Autonomía de carácter general.
b) Autonomía pedagógica.
c) Autonomía organizativa.
d) Autonomía económica.

8. ¿Cuál de los siguientes apartados no se incluye en el PEC?

a) La descripción de las características del entorno social y cultural del centro y del alumnado.
b) Los principios educativos y los valores que guían la convivencia.
c) La definición de la jornada escolar del centro.
d) Una introducción en la que se recoja, de forma breve, las conclusiones de la memoria del curso anterior.

9. El documento que elabora el Equipo directivo con la participación del profesorado a través del Claustro de profesores y recoge las aportaciones de los restantes componentes de la comunidad escolar se denomina:

a) Programación general anual.
b) Proyecto educativo de centro.
c) Programación didáctica.
d) Memoria anual.

10. Finalizado el curso escolar, los centros han de recoger las conclusiones de la evaluación interna y, en su caso, de la evaluación externa, en un documento que se llama:

a) Programación general anual.
b) Programación didáctica.
c) Proyecto educativo.
d) Memoria anual.

11. El Proyecto de gestión es un documento relacionado con uno de los siguientes tipos de autonomía de un centro, indíquelo:

a) Organizativa.
b) Pedagógica.
c) Económica.
d) De carácter general.

12. El proyecto educativo de un centro:

a) Define la identidad del centro docente.
b) Garantiza el desarrollo coordinado de todas las actividades educativas del centro docente.
c) Recoge las conclusiones de la evaluación interna y, en su caso, de la evaluación externa.
d) Es un instrumento específico de planificación, desarrollo y evaluación de cada área del currículo.

13. Las modificaciones del PEC podrán ser presentadas:

a) Por el equipo directivo.
b) Por el Claustro.
c) Por cualquier miembro del Consejo escolar y/o del AMPA.
d) Todas las anteriores son correctas.

14. El Proyecto Educativo de un centro lo aprueba:

a) El Claustro de profesores.
b) La mayoría de dos tercios del Consejo escolar, con derecho a voto.
c) La mayoría absoluta de los miembros del consejo escolar, con derecho a voto.
d) La mayoría de dos tercios de todos los miembros del Consejo escolar.

15. La autonomía económica en un centro se describe a través del siguiente documento:

a) Proyecto educativo del centro.
b) Memoria anual.

c) Proyecto de gestión.
d) Programación didáctica.

16. Cuando hablamos de instrumentos específicos de planificación, desarrollo y evaluación de cada área del currículo, nos referimos a:

a) Proyecto educativo.
b) Proyecto de gestión.
c) Programación didáctica.
d) Programación general anual.

17. La planificación de las diferentes actuaciones para el logro de los objetivos generales propuestos en cada uno de los ámbitos especificando el calendario previsto, los responsables de su realización y evaluación, ha de constar en el siguiente documento:

a) Memoria anual.
b) Proyecto educativo.
c) Proyecto de gestión.
d) Programación anual.

18. Entre los apartados que ha de incluir el PEC, están (señale la incorrecta):

a) La descripción de las características del entorno social y cultural del centro, del alumnado, así como las respuestas educativas que se deriven de estos referentes.

b) Los principios educativos y los valores que guían la convivencia y sirven de referente para el desarrollo de la autonomía pedagógica, organizativa y de gestión del centro.

c) La oferta de enseñanzas del centro, la adecuación de los objetivos generales a la singularidad del centro y las programaciones didácticas que concretan los currículos establecidos por la Administración educativa.

d) Los objetivos, las competencias básicas, la secuenciación de los contenidos por cursos y los criterios de evaluación de las áreas.

19. El presupuesto del centro y su estado de ejecución, se reflejan en el siguiente documento:

a) La programación general anual.
b) Proyecto educativo.
c) Proyecto de gestión.
d) Programaciones didácticas.

20. Las normas de convivencia, organización y funcionamiento específicas de cada aula son elaboradas y revisadas anualmente por:

a) Equipo directivo.
b) Equipo de orientación y apoyo.
c) Profesorado y alumnado.
d) Tutores.

Solución al test n.º 3

1. b) Currículum oculto. *(Ver epígrafe 1.1).*

2. a) Establecer con claridad las intenciones educativas y los elementos comunes que deben desarrollarse en la enseñanza que afecta a todos los niños y jóvenes del Estado. *(Ver epígrafe 1.2.).*

3. b) Segundo nivel de concreción curricular. *(Ver epígrafe 2.).*

4. d) Todas son correctas. *(Ver epígrafe 3.2.).*

5. b) Programaciones didácticas. *(Ver epígrafe 4.1).*

6. a) Programación General Anual. *(Ver epígrafe 4.2).*

7. c) Autonomía organizativa. *(Ver epígrafe 4.1).*

8. d) Una introducción en la que se recoja, de forma breve, las conclusiones de la memoria del curso anterior. *(Ver epígrafe 4.2).*

9. a) Programación general anual. *(Ver epígrafe 4.2).*

10. d) Memoria anual. *(Ver epígrafe 4.2).*

11. c) Económica. *(Ver epígrafe 4.3.3).*

12. a) Define la identidad del centro docente. *(Ver epígrafe 4.2).*

13. d) Todas las anteriores son correctas. *(Ver epígrafe 4.2).*

14. b) La mayoría de dos tercios del Consejo escolar, con derecho a voto. *(Ver epígrafe 4.2).*

15. c) Proyecto de gestión. *(Ver epígrafe 4.1.).*

16. c) Programación didáctica. *(Ver epígrafe 4.3.1).*

17. d) Programación anual. *(Ver epígrafe 4.2).*

18. d) Los objetivos, las competencias básicas, la secuenciación de los contenidos por cursos y los criterios de evaluación de las áreas. *(Ver epígrafe 4.2).*

19. a) La programación general anual. *(Ver epígrafe 4.2).*

20. c) Profesorado y alumnado. *(Ver epígrafe 4.3.2).*

TEST N.º 4

Atención a la diversidad educativa y necesidades educativas especiales

1. La diversidad en el campo educativo se refiere a:

a) La existencia de asignaturas de diversa índole que se incluyen en el currículum escolar.
b) Las diferentes formas en que se mantienen los centros escolares: con fondos públicos (gratuitos para el alumnado), o con capital privado (el alumno paga una cuota mensualmente por asistir al centro).
c) La personalidad de los alumnos, etapa evolutiva, nivel de competencia curricular, ambiente familiar, carencias, factores culturales, económicos, étnicos, etc.
d) El trabajo conjunto de diversos profesores dentro del aula.

2. La LOE establece que:

a) Se debe limitar el acceso al sistema educativo a determinados sectores de población, como el caso de los niños con discapacidad intelectual leve.
b) El sistema educativo debe procurar una configuración flexible, que se adapte a las diferencias individuales de aptitudes, necesidades, intereses y ritmos de maduración de los alumnos.
c) Se debe llevar a cabo una educación homogeneizante, igual para todos, sin tener en cuenta las diferencias individuales.
d) De acuerdo con la constitución española, no podemos limitar el acceso a la educación de ningún colectivo, pero no corresponde a la administración el poner los medios necesarios para que todos los alumnos puedan seguir un proceso educativo adecuado.

3. El modelo actual de intervención en niños con discapacidad se centra en:

a) La discapacidad del individuo.
b) El sistema educativo, que debe adaptarse a las necesidades educativas del alumno.
c) La familia del alumno con discapacidad, ya que recientes estudios han demostrado la importancia de la familia en el desarrollo de estos alumnos.
d) El profesor de educación especial, ya que es el único capacitado para trabajar con el alumno.

4. Cuando se empieza a hablar de alumnos con necesidades educativas especiales son necesarios mayores recursos educativos, como:

a) Mayor número de especialistas.
b) Mantenimiento de las formas de organización tradicionales.
c) Mantenimiento de la metodología anterior a la LOGSE.
d) Menor cantidad de material didáctico, ya que no se emplean los libros de texto.

5. Dentro del "alumnado con necesidad específica de apoyo educativo" se incluyen a los alumnos con necesidades educativas especiales derivadas de discapacidad, pero también a:

a) Alumnos con trastornos graves de conducta.
b) Alumnos con altas capacidades intelectuales.
c) Alumnos con integración tardía en el sistema educativo español.
d) Todas son correctas.

6. La escolarización de los alumnos con necesidades educativas especiales en unidades o centros de educación especial solo se llevará a cabo cuando sus necesidades no puedan ser atendidas en el marco de las medidas de atención a la diversidad de los centros ordinarios. ¿Hasta qué edad puede extenderse la escolarización en estos centros?

a) 13 años.
b) 16 años.
c) 18 años.
d) 21 años.

7. Entre los aspectos de la diversidad asociada a características personales más relevantes para el aprendizaje, podemos citar:

a) Las aptitudes.
b) Las diferencias sociales.
c) El nivel de desarrollo evolutivo.
d) Todas son correctas.

8. La siguiente definición: "cada una de las capacidades de las que se compone la inteligencia humana"; se corresponde con el término:

a) Actitud.
b) Habilidad.
c) Nivel de competencia curricular.
d) Aptitud.

9. Al hablar de inteligencia, podemos decir que:

a) La inteligencia es un rasgo de la persona innato e inamovible.

b) El niño nace con un potencial de aprendizaje determinado y es la relación con el medio lo que irá determinando el desarrollo intelectual real del individuo.

c) La inteligencia no es algo estático. Con los medios adecuados podemos conseguir que un niño con discapacidad intelectual grave deje de serlo.

d) Las opciones b y c son correctas.

10. La aptitud para el razonamiento abstracto:

a) Es la capacidad para extraer conclusiones mediante la inducción y la deducción.

b) Se adquiere antes de finalizar la educación preescolar.

c) Es la capacidad para realizar actividades relacionadas con las artes plásticas.

d) Es la capacidad para percibir las cosas con rapidez y precisión.

11. La motivación del niño de 0 a 3 años se puede favorecer:

a) Proponiéndoles tareas muy fáciles, por debajo de su nivel de desarrollo, que sea capaz de realizar sin ningún problema.

b) Proponiéndoles tareas muy complejas que supongan un verdadero reto para él, aunque tengamos la certeza de que aún no tiene la habilidad necesaria para realizarla.

c) Cortando su curiosidad innata, y haciendo que centren su atención en las actividades que tenemos programadas para todo el grupo.

d) Suministrando un feedback adecuado, es decir, aplaudiendo, por ejemplo, cuando realiza bien alguna actividad.

12. El estilo cognitivo puede definirse como:

a) La capacidad intelectual de una persona.

b) La capacidad del individuo para hacer razonamientos abstractos.

c) La forma característica en que una persona percibe el entorno, lo organiza y actúa sobre él.

d) Las técnicas de estudio que utilizan los alumnos para aprender.

13. Las personas que tienden a percibir la información de manera analítica y sin dejarse influir por el contexto, se denominan:

a) Dependientes de campo.

b) Independientes de campo.

c) Reflexivos.

d) Impulsivos.

14. En el primer ciclo de educación infantil lo más frecuente es que los niños sean:

a) Dependientes de campo.
b) Independientes de campo.
c) Reflexivos.
d) Impulsivos.

15. Los niños impulsivos:

a) Actúan de manera más lenta que los reflexivos y cometen más errores.
b) Actúan de manera más rápida que los reflexivos pero cometen más errores.
c) Actúan de manera más lenta que los reflexivos pero cometen menos errores.
d) Actúan de manera más rápida que los reflexivos y cometen menos errores.

16. Los niños, en los primeros años de vida, suelen moverse sin parar, esto es debido a:

a) La impulsividad.
b) La hiperactividad.
c) La reflexividad.
d) La necesidad de explorar el entorno.

17. La reflexividad es más frecuente en:

a) Los niños hiperactivos.
b) Los niños que se distraen fácilmente.
c) Los niños de carácter tranquilo.
d) Los niños que reaccionan más ante estímulos externos.

18. Personalidad y aprendizaje están relacionados porque:

a) El niño va construyendo y perfilando su personalidad a través de la relación con los demás, es decir, la personalidad es fruto del aprendizaje.

b) El aprendizaje está influenciado por la personalidad, ya que los resultados de cualquier acción educativa están determinados por la propia acción educativa, por la personalidad del individuo y por la interacción entre ambos factores.

c) Ambas respuestas son correctas.

d) Ninguna de las anteriores es correcta.

19. Es evidente que el nivel de desarrollo evolutivo es fuente de diversidad, por ello:

a) Debemos agrupar a los niños por su edad cronológica, para que sean capaces de realizar las mismas actividades.

b) Debemos respetar los ritmos individuales de aprendizaje, y no pretender lo mismo de dos individuos distintos aunque tengan la misma edad cronológica.

c) Es necesario estimular a los niños para que logren los mismos avances a la edad cronológica correspondiente.
d) Las opciones a y c son correctas.

20. El nivel de competencia curricular se refiere a:

a) La capacidad del niño para adaptarse a un currículo abierto y flexible.
b) La capacidad del profesorado para llevar adelante a un grupo de alumnos.
c) La medida en que el niño ha conseguido superar los objetivos de etapas o ciclos anteriores.
d) Ninguna de las anteriores.

21. La respuesta educativa a la diversidad debe darse:

a) A nivel de las administraciones educativas.
b) A nivel de centro educativo.
c) A nivel de aula.
d) Todas las opciones son correctas.

22. El papel fundamental de la administración educativa para atender a la diversidad es:

a) Establecer el marco legal que oriente las actuaciones de los profesionales.
b) Proporcionar los recursos y los medios necesarios para que lo establecido legalmente pueda hacerse efectivo.
c) Ambas son correctas.
d) Ninguna de las anteriores.

23. La respuesta a nivel de centro para atender a la diversidad debe contemplar:

a) La fijación de objetivos diferentes para los alumnos que requieran una especial atención.
b) La búsqueda del máximo número de metas comunes para todo el alumnado, contando entre sus objetivos fundamentales el desarrollo personal y la socialización de los alumnos, especialmente el desarrollo de aquellas capacidades que tienen menos posibilidad de desarrollarse en el medio natural del niño sin una ayuda educativa específica.
c) La búsqueda de la uniformidad, ignorando las diferencias individuales, que haría enormemente complejo el proceso educativo.
d) Las opciones b y c son correctas.

24. Entre las principales respuestas educativas a la diversidad a nivel de alumno, podemos citar:

a) El refuerzo educativo.
b) La optatividad.
c) Los ciclos formativos de grado básico.
d) Todas las respuestas son válidas.

Solución al test n.º 4

1. c) La personalidad de los alumnos, etapa evolutiva, nivel de competencia curricular, ambiente familiar, carencias, factores culturales, económicos, étnicos, etc. *(Ver epígrafe 1).*

2. b) El sistema educativo debe procurar una configuración flexible, que se adapte a las diferencias individuales de aptitudes, necesidades, intereses y ritmos de maduración de los alumnos. *(Ver epígrafe 1).*

3. b) El sistema educativo, que debe adaptarse a las necesidades educativas del alumno. *(Ver epígrafe 2).*

4. a) Mayor número de especialistas. *(Ver epígrafe 2).*

5. d) Todas son correctas. *(Ver epígrafe 2).*

6. d) 21 años. *(Ver epígrafe 2).*

7. d) Todas son correctas. *(Ver epígrafe 3).*

8. d) Aptitud. *(Ver epígrafe 3.1).*

9. b) El niño nace con un potencial de aprendizaje determinado y es la relación con el medio lo que irá determinando el desarrollo intelectual real del individuo. *(Ver epígrafe 3.1).*

10. a) Es la capacidad para extraer conclusiones mediante la inducción y la deducción. *(Ver epígrafe 3.1).*

11. d) Suministrando un feedback adecuado, es decir, aplaudiendo, por ejemplo, cuando realiza bien alguna actividad. *(Ver epígrafe 3.2).*

12. c) La forma característica en que una persona percibe el entorno, lo organiza y actúa sobre él. *(Ver epígrafe 3.3).*

13. b) Independientes de campo. *(Ver epígrafe 3.3).*

14. a) Dependientes de campo. *(Ver epígrafe 3.3).*

15. b) Actúan de manera más rápida que los reflexivos pero cometen más errores. *(Ver epígrafe 3.3)*

16. d) La necesidad de explorar el entorno. *(Ver epígrafe 3.3).*

17. c) Los niños de carácter tranquilo. *(Ver epígrafe 3.3).*

18. c) Ambas respuestas son correctas. *(Ver epígrafe 3.4).*

19. b) Debemos respetar los ritmos individuales de aprendizaje, y no pretender lo mismo de dos individuos distintos aunque tengan la misma edad cronológica. *(Ver epígrafe 3.6).*

20. c) La medida en que el niño ha conseguido superar los objetivos de etapas o ciclos anteriores. *(Ver epígrafe 3.7).*

21. d) Todas las opciones son correctas. *(Ver epígrafe 4).*

22. c) Ambas son correctas. *(Ver epígrafe 4.1).*

23. b) La búsqueda del máximo número de metas comunes para todo el alumnado, contando entre sus objetivos fundamentales el desarrollo personal y la socialización de los alumnos, especialmente el desarrollo de aquellas capacidades que tienen menos posibilidad de desarrollarse en el medio natural del niño sin una ayuda educativa específica. *(Ver epígrafe 4.2).*

24. d) Todas las respuestas son válidas. *(Ver epígrafe 4.4).*

TEST N.º 5

La Escuela Infantil y la protección del menor y sus derechos. La infancia en situación de riesgo social

1. El enfoque preventivo en el ámbito de los problemas escolares:

a) Tiende a actuar sobre el problema una vez que ha aparecido, sin tener en cuenta en la mayoría de los casos el contexto que lo ha originado.

b) Sigue el siguiente procedimiento:

1. Detección y diagnóstico del problema escolar.
2. Asesoramiento técnico sobre el tratamiento a seguir.
3. Organización de las actividades dirigidas a solucionar el problema.

c) Interviene sobre el contexto antes de que surja un problema determinado. Por eso se dirige a la totalidad del alumnado y no solo a los que tienen una necesidad específica.

d) Las opciones a y b son correctas.

2. La función compensadora que debe cumplir la educación:

a) Se dirige a los alumnos cuya situación personal sea favorable para el aprendizaje y puedan sacar provecho de su escolarización.

b) Se dirige a aquellos alumnos que por su situación personal y/o sociocultural pertenezcan a un colectivo de riesgo que no se encuentra en las mismas condiciones favorables para la educación y el aprendizaje que el resto de los alumnos.

c) Ambas respuestas son correctas.

d) La función compensadora está en manos de los servicios sociales y no de la educación.

3. Cuando la prevención se dirige a evitar la aparición de un problema o en disminuir su frecuencia, estamos hablando de:

a) Prevención primaria.

b) Prevención secundaria.

c) Prevención terciaria.

d) Prevención evitativa.

4. Cuando el objetivo de la prevención es reducir las secuelas que puedan haber quedado después de superado un problema hablamos de:

a) Prevención primaria.
b) Prevención secundaria.
c) Prevención terciaria.
d) Prevención reductora.

5. A veces, el objetivo de la prevención es reducir la duración de un problema, actuando lo más rápidamente posible y evitando, así, que el problema se agrave y sea más difícil de solucionar. En este caso hablamos de:

a) Prevención primaria.
b) Prevención secundaria.
c) Prevención terciaria.
d) Prevención precoz.

6. La etapa educativa donde más peso tiene el carácter preventivo y compensador de la educación es:

a) La educación infantil.
b) La educación primaria.
c) La ESO.
d) El bachillerato.

7. Identifica el primer texto histórico que reconoce la existencia de derechos específicos para los niños y niñas.

a) Convención sobre los Derechos del Niño.
b) Declaración de los Derechos del Niño.
c) Declaración Universal de los Derechos Humanos.
d) Declaración de Ginebra sobre los Derechos del Niño.

8. El primer texto legalmente vinculante que protege los derechos de los niños es:

a) Convención sobre los Derechos del Niño (1989).
b) Declaración de los Derechos del Niño (1959).
c) Declaración Universal de los Derechos Humanos (1948).
d) Declaración de Ginebra sobre los Derechos del Niño /1924).

9. La Convención sobre los Derechos del Niño considera que todas las medidas que se tomen en relación con los niños tendrán en cuenta en primer lugar:

a) La opinión de los padres siempre que tengan la custodia del niño.
b) La opinión de los padres biológicos, aunque no tengan la custodia del niño.

c) El interés superior del niño.
d) El sexo. Haciendo uso de la discriminación positiva, las niñas tienen más derechos que los niños.

10. El Comité de los Derechos del Niño:

a) Tiene como objetivo velar por el cumplimiento de los derechos de los niños recogidos en la Convención.
b) Está integrado por diez expertos que serán elegidos, en votación secreta, de una lista de personas designadas por los Estados Partes.
c) Se reúnen cada dos años (años impares).
d) Todas son correctas.

11. La intervención en la situación de riesgo corresponde a la administración pública competente conforme a lo dispuesto en la legislación estatal y autonómica aplicable, en coordinación con:

a) Los centros escolares.
b) Los servicios sociales.
c) Los servicios sanitarios.
d) Todas son correctas.

12. La inducción a la mendicidad, delincuencia o prostitución, o cualquier otra explotación del menor de similar naturaleza o gravedad se considera, según la *Ley Orgánica 1/1996, de 15 de enero, de Protección Jurídica del Menor, de modificación parcial del Código Civil y de la Ley de Enjuiciamiento Civil* modificada por la *Ley 26/2015, de 28 de julio, de modificación del sistema de protección a la infancia y a la adolescencia*:

a) Situación de riesgo del menor.
b) Situación de riesgo del entorno familiar.
c) Situación de desamparo.
d) Situación irregular.

13. Según la *Ley Orgánica 1/1996, de 15 de enero, de Protección Jurídica del Menor, de modificación parcial del Código Civil y de la Ley de Enjuiciamiento Civil* modificada por la *Ley 26/2015, de 28 de julio, de modificación del sistema de protección a la infancia y a la adolescencia* existe situación de desamparo cuando se dé la siguiente circunstancia:

a) El abandono del menor, bien porque falten las personas a las que por ley corresponde el ejercicio de la guarda, o bien porque éstas no quieran o no puedan ejercerla.
b) El riesgo para la salud mental del menor, su integridad moral y el desarrollo de su personalidad debido al maltrato psicológico continuado o a la falta de atención grave y crónica de sus necesidades afectivas o educativas por parte de progenitores, tutores o guardadores.

c) La ausencia de escolarización o falta de asistencia reiterada y no justificada adecuadamente al centro educativo y la permisividad continuada o la inducción al absentismo escolar durante las etapas de escolarización obligatoria.
d) Todas las respuestas son correctas.

14. Existen indicadores que nos pueden dar información sobre una situación de riesgo social, por ejemplo:

a) Deterioro físico: suciedad, desnutrición.
b) Conducta regularmente agresiva.
c) Poca estimulación.
d) Todas son correctas.

15. La siguiente definición: "cualquier acto por acción u omisión realizado por individuos, por instituciones o por la sociedad en su conjunto y todos los estados derivados de estos actos o de su ausencia que priven a los niños de su libertad o de sus derechos correspondientes y/o que dificulten su óptimo desarrollo"; corresponde al concepto de:

a) Corrupción de menores.
b) Síndrome de Münchhausen.
c) Maltrato infantil.
d) Violación.

16. Las negligencias intencionadas que provoquen en el niño daño físico o enfermedad se consideran:

a) Faltas leves.
b) Faltas graves.
c) Maltrato físico.
d) Abuso de poder.

17. En el maltrato infantil incluimos, entre otros:

a) El maltrato emocional (amenazas, insultos, humillaciones).
b) Abandono físico (falta de atención adecuada a las necesidades físicas básicas del niño).
c) Abandono emocional (falta de atención a las expresiones emocionales del niño o a sus intentos de relación con el adulto).
d) Todas son correctas.

18. El síndrome de Münchhausen por poderes:

a) Se refiere a aquellas actuaciones institucionales que conlleven negligencia, abuso, detrimento de la salud, la seguridad o el estado emocional, o que provoquen un desarrollo general no adecuado.
b) Consiste en la descripción o en la provocación de síntomas falsos de enfermedades por parte de los padres o tutores de un niño para generar un proceso de diagnóstico y atención médica continuados.

c) Se refiere a la seducción verbal, la masturbación o realización del acto sexual en presencia del niño, la exposición de los órganos sexuales al niño para obtener gratificación sexual.

d) Se define como la imposición de actos sexuales inadecuados, o de actos con insinuaciones sexuales, por una o más personas vinculadas emocionalmente con el niño.

19. Entre los indicadores de malos tratos en el niño que establece la Asociación Murciana de Apoyo a la Infancia Maltratada (AMAIM), podemos citar, entre otros:

a) Señales físicas repetidas (morados, magulladuras, quemaduras...).
b) Actitud hipervigilante (en estado de alerta, receloso...).
c) Falta a clase de forma reiterada sin justificación.
d) Todas son correctas.

20. Entre los indicadores de malos tratos en los padres que establece la Asociación Murciana de Apoyo a la Infancia Maltratada (AMAIM), podemos citar, entre otros:

a) Sienten a su hijo como una "propiedad" ("puedo hacer con mi hijo lo que quiera porque es mío").
b) Existe una buena relación afectiva con los niños.
c) Siempre elogian al niño en público.
d) Todas son correctas.

Solución al test n.º 5

1. c) Interviene sobre el contexto antes de que surja un problema determinado. Por eso se dirige a la totalidad del alumnado y no solo a los que tienen una necesidad específica. *(Ver epígrafe 1).*

2. b) Se dirige a aquellos alumnos que por su situación personal y/o sociocultural pertenezcan a un colectivo de riesgo que no se encuentra en las mismas condiciones favorables para la educación y el aprendizaje que el resto de los alumnos. *(Ver epígrafe 1).*

3. a) Prevención primaria. *(Ver epígrafe 2.2).*

4. c) Prevención terciaria. *(Ver epígrafe 2.2).*

5. b) Prevención secundaria. *(Ver epígrafe 2.2).*

6. a) La educación infantil. *(Ver epígrafe 2.3).*

7. d) Declaración de Ginebra sobre los Derechos del Niño. *(Ver epígrafe 3).*

8. a) Convención sobre los Derechos del Niño (1989). *(Ver epígrafe 3).*

9. c) El interés superior del niño. *(Ver epígrafe 3).*

10. a) Tiene como objetivo velar por el cumplimiento de los derechos de los niños recogidos en la Convención. *(Ver epígrafe 3).*

11. d) Todas son correctas. *(Ver epígrafe 4.1).*

12. c) Situación de desamparo. *(Ver epígrafe 4.2).*

13. d) Todas las respuestas son correctas. *(Ver epígrafe 4.2).*

14. d) Todas son correctas. *(Ver epígrafe 5).*

15. c) Maltrato infantil. *(Ver epígrafe 6.1).*

16. c) Maltrato físico. *(Ver epígrafe 6.1).*

17. d) Todas son correctas. *(Ver epígrafe 6.1).*

18. b) Consiste en la descripción o en la provocación de síntomas falsos de enfermedades por parte de los padres o tutores de un niño para generar un proceso de diagnóstico y atención médica continuados. *(Ver epígrafe 6.1).*

19. d) Todas son correctas. *(Ver epígrafe 6.2).*

20. a) Sienten a su hijo como una "propiedad" ("puedo hacer con mi hijo lo que quiera porque es mío"). *(Ver epígrafe 6.2).*

TEST N.º 6

Principales necesidades educativas especiales en la Educación Infantil

1. Según la LOE y sus modificaciones correspondientes en la LOMLOE, el alumnado con necesidad específica de apoyo educativo incluye tres apartados generales, que son:

a) Discapacidad física, discapacidad intelectual y discapacidad sensorial.
b) Discapacidad intelectual, inteligencia media y altas capacidades.
c) Alumnos con incorporación tardía al sistema educativo español, alumnos con altas capacidades y alumnos con Necesidades Educativas Especiales.
d) Inadaptación social, discapacidad intelectual y discapacidades motóricas.

2. Los padres de alumnos extranjeros que deseen escolarizar a sus hijos en Educación infantil:

a) No pueden hacerlo; sobre la base de lo establecido por la LOE y sus modificaciones correspondientes en la LOMLOE, estos alumnos solo pueden ser escolarizados en los niveles obligatorios, es decir, a partir de Primaria.
b) Deben recibir por parte de la Administración el asesoramiento necesario sobre los derechos, deberes y oportunidades que comporta la incorporación al sistema educativo español.
c) Pueden hacerlo, puesto que los alumnos extranjeros tendrán los mismos derechos y los mismos deberes que los alumnos españoles, según establece la LOE y sus modificaciones correspondientes en la LOMLOE.
d) b y c son correctas.

3. La asociación de superdotados andaluza ha establecido una serie de características fácilmente identificables por padres y profesores que suelen presentar los niños con altas capacidades, aunque los que deben determinarlo son siempre los psicólogos. Entre estas características podemos citar:

a) Aceptan la autoridad sumisamente sin necesidad de un razonamiento.
b) Suelen ser niños que tardan más que otros en andar, hablar y leer.
c) Se cuestionan, precozmente, temas abstractos como: la muerte, Dios, el tiempo, etc.
d) Prefieren tener trato con niños de su edad.

4. La Asociación Americana de Discapacidades Intelectuales y del Desarrollo, AAIDD, establece que la discapacidad intelectual se caracteriza, entre otros aspectos, por:

a) Limitaciones significativas en el funcionamiento intelectual.
b) Las discapacidades se originan con posterioridad a los 18 años.
c) Un buen nivel de habilidades adaptativas.
d) Todas son correctas.

5. La clasificación de la discapacidad intelectual basada en el CI, establece que un CI entre 35 y 49 se corresponde con:

a) Discapacidad intelectual leve.
b) Discapacidad intelectual moderada.
c) Discapacidad intelectual grave.
d) Discapacidad intelectual profunda.

6. Podemos considerar que un niño tiene discapacidad intelectual si su CI está por debajo de:

a) 50.
b) 60.
c) 70.
d) 80.

7. El niño con discapacidad intelectual leve:

a) No es capaz de realizar actividades mentales muy complejas.
b) Aunque adquiere el lenguaje no es capaz de alcanzar la capacidad para mantener una conversación.
c) Necesita ayuda y supervisión constante.
d) a y b son correctas.

8. El objetivo fundamental de la educación temprana en los niños con discapacidad intelectual es:

a) Permitir y favorecer un desarrollo tan normal como sea posible.
b) Conseguir que el niño alcance cuanto antes un CI normal.
c) La curación total de su discapacidad.
d) En el caso de los niños con discapacidad intelectual no es necesaria la educación temprana pues no pueden sacar provecho de ella, no obstante, la LOMCE apoya los intentos de los profesores en este sentido.

9. La acción educativa en el niño con discapacidad intelectual debe orientarse a:

a) Conseguir determinados hábitos de autonomía personal: control de esfínteres, vestirse y desnudarse solo, asearse, comer solo, etc.
b) Establecer las bases para la interacción social y la comunicación (verbal y no verbal) que permitan una adecuada socialización y unas experiencias sociales positivas.
c) Favorecer un desarrollo psicomotor adecuado.
d) Todas las opciones son correctas.

10. En el campo de la discapacidad intelectual, el apoyo intensivo, pero durante un tiempo limitado, se conoce como:

a) Apoyo intermitente.
b) Apoyo limitado.
c) Apoyo extenso.
d) Apoyo generalizado.

11. Respecto al alumno con discapacidad visual, es cierta la siguiente afirmación:

a) Debemos tener en cuenta que para su escolarización necesita unas condiciones espaciales determinadas.
b) Su proceso de desarrollo sigue exactamente las mismas pautas que el de un niño vidente.
c) No necesita materiales adaptados, como en el caso de los alumnos con discapacidad física.
d) Todas son correctas.

12. Los bebés ciegos:

a) Presentan grandes e importantes diferencias con respecto al desarrollo de un niño vidente desde el momento del nacimiento.
b) Tienen un desarrollo similar a los videntes en las conductas posturales (sostener la cabeza, sentarse, estar de pie, etc.).
c) Tienen menos dificultad que los videntes en relación con los desplazamientos.
d) No presentan diferencias en el desarrollo con respecto a los bebés videntes.

13. Indica la afirmación correcta sobre el desarrollo psicomotor del niño con discapacidad visual:

a) Durante el primer año de vida estos niños tienen problemas para localizar los objetos que están situados en el espacio exterior a su propio cuerpo.
b) Los bebés ciegos tienen un retraso de hasta seis o siete meses en las conductas posturales (sostener la cabeza, sentarse, estar de pie, etc.), con respecto a los videntes.
c) El desarrollo en las conductas de gateo y marcha es similar al resto de los niños.
d) Todas son correctas.

14. La discapacidad auditiva:

a) Se asocia siempre con discapacidad intelectual.
b) Es un tipo de discapacidad sensorial.
c) Impide al niño comunicarse.
d) a, b y c son correctas.

15. Los comportamientos inmaduros y la inseguridad a la hora de relacionarse que presentan algunos niños con discapacidad auditiva:

a) Son consecuencia directa de la discapacidad.
b) Se deben a la discapacidad intelectual que suele relacionarse con la discapacidad auditiva.
c) Son consecuencia, casi siempre, del modo de interactuar con el niño de las personas que lo rodean: sobreprotección, uso de un lenguaje oral diferente al habitual, etc.
d) Son consecuencia de un autoconcepto elevado.

16. El funcionamiento intelectual de los niños con discapacidad física:

a) Depende en gran medida de la causa que ha originado la discapacidad. Cuando se debe a parálisis cerebral, traumatismos craneoencefálicos o procesos infecciosos del sistema nervioso, suele presentarse discapacidad intelectual.
b) Es inferior a la media.
c) Es superior a la media.
d) Nunca presenta diferencias significativas con respecto a la media.

17. Para evitar que los problemas de movilidad dificulten los aprendizajes del niño con discapacidad física:

a) Debemos procurar que los materiales habituales para cualquier alumno sean igualmente accesibles para él.
b) Debemos proporcionarle juguetes adaptados a su discapacidad.
c) No asistirán al centro educativo, ya que en casa tienen todos los materiales que necesita a su alcance.
d) a y b son correctas.

18. Dentro de las causas de discapacidad motora, ¿cuál se debe a una infección de origen vírico?

a) Poliomielitis.
b) Parálisis cerebral.
c) Espina bífida.
d) Todas son de origen vírico.

19. La forma más frecuente y más grave en que se presenta la espina bífida es:

a) Meningocele.
b) Mielomeningocele.
c) Mielocele.
d) Lipomeningocele.

20. Señala lo correcto con respecto al trastorno del espectro autista:

a) Es un trastorno heterogéneo del neurodesarrollo con grados y manifestaciones muy variables que tiene causas tanto genéticas como ambientales.
b) Suele reconocerse en la adolescencia y persiste hasta la edad adulta.
c) Sus manifestaciones no pueden modificarse mediante la experiencia ni la educación.
d) Todas son correctas.

21. A nivel de intervención en comunicación social, un niño con trastorno del espectro autista se situaría en un nivel 2 (moderado), cuando:

a) El paciente tiene dificultad para iniciar conversaciones o parece menos interesado en ellas que la mayoría de las personas.
b) Existen discapacidades pronunciadas tanto en comunicación verbal como no verbal.
c) Hay una respuesta escasa ante la aproximación de otros que limita de manera notable el desempeño.
d) El lenguaje es limitado, quizá a unas cuantas palabras.

22. Una de las características del bebé con trastorno del espectro autista es:

a) Durante el primer año de vida es muy difícil identificar los síntomas.
b) Son niños muy pasivos y poco sensibles tanto a los objetos como a las personas que los rodean, por lo que al principio se puede pensar en sordera.
c) Los bebés con trastorno del espectro autista presentan alteraciones como la ausencia de sonrisa social.
d) Todas son correctas.

23. ¿Cuál de las siguientes características de la comunicación no es un rasgo definitorio del trastorno del espectro autista?

a) El lenguaje oral de los pacientes con TEA puede presentar un retraso de incluso varios años.
b) A menudo, los niños con trastorno del espectro autista tienen dificultad para iniciar o sostener una conversación.
c) La prosodia y volumen son normales.
d) Todas son ciertas.

24. El retraso leve del lenguaje o retraso simple:

a) Se manifiesta solamente a nivel expresivo.
b) Se manifiesta solo a nivel comprensivo.
c) Evoluciona normalmente hacia un lenguaje normal.
d) Las respuestas b y c son correctas.

25. El retraso leve del lenguaje se puede acompañar también de otras manifestaciones o alteraciones no lingüísticas, como:

a) Retraso motor en la coordinación de movimientos.
b) Dificultades para respetar los límites al colorear los dibujos.
c) Discapacidad intelectual.
d) a y b son correctas.

26. El retraso moderado del lenguaje recibe también el nombre de:

a) Afasia.
b) Mutismo electivo.
c) Audiomudez.
d) Disfasia.

27. El retraso moderado del lenguaje se manifiesta a partir de los:

a) 2 años.
b) 4 años.
c) 6 años.
d) 8 años.

28. Entre las dificultades a nivel comprensivo que pueden presentar los niños con retraso moderado del lenguaje, podemos citar:

a) Dificultad para comprender términos que se refieren a las propiedades y al uso de las cosas.
b) Dificultad para comprender conceptos espaciales y temporales.
c) Dificultad para resumir historias contadas previamente de forma oral.
d) Todas son correctas.

29. El retraso grave del lenguaje:

a) También se conoce con el nombre de disfasia.
b) Se caracteriza por la ausencia de lenguaje a los cinco años o por una mínima adquisición verbal.
c) Se caracteriza por la falta de organización en el lenguaje y se manifiesta a partir de los seis años.
d) a y b son correctas.

30. Para favorecer una evolución favorable de los retrasos del lenguaje, además de la intervención que realicen los profesionales cualificados para ello, el Técnico en Educación Infantil, puede colaborar del siguiente modo:

a) Procurando que el niño no hable, para que sus compañeros no se rían de él.

b) Evitando la marginación del niño dentro del aula por causa de sus problemas lingüísticos.

c) Corregir constantemente sus intentos de comunicación para que aprenda a hablar correctamente.

d) Todas las opciones son correctas.

Solución al test n.º 6

1. c) Alumnos con incorporación tardía al sistema educativo español, alumnos con altas capacidades y alumnos con Necesidades Educativas Especiales. (*Ver epígrafe 1*).

2. d) b y c son correctas. (*Ver epígrafe 6*).

3. c) Se cuestionan, precozmente, temas abstractos como: la muerte, Dios, el tiempo, etc. (*Ver epígrafe 5*).

4. a) Limitaciones significativas en el funcionamiento intelectual. (*Ver epígrafe 2.1*).

5. b) Discapacidad intelectual moderad. (*Ver epígrafe 2.1*).

6. c) 70. (*Ver epígrafe 2.1*).

7. a) No es capaz de realizar actividades mentales muy complejas. (*Ver epígrafe 2.1*).

8. a) Permitir y favorecer un desarrollo tan normal como sea posible. (*Ver epígrafe 2.1*).

9. d) Todas las opciones son correctas. (*Ver epígrafe 2.1*).

10. b) Apoyo limitado. (*Ver epígrafe 2.1*).

11. a) Debemos tener en cuenta que para su escolarización necesita unas condiciones espaciales determinadas. (*Ver epígrafe 2.2*).

12. b) Tienen un desarrollo similar a los videntes en las conductas posturales (sostener la cabeza, sentarse, estar de pie, etc.). (*Ver epígrafe 2.2*).

13. a) Durante el primer año de vida estos niños tienen problemas para localizar los objetos que están situados en el espacio exterior a su propio cuerpo. (*Ver epígrafe 2.2*).

14. b) Es un tipo de discapacidad sensorial. (*Ver epígrafe 2.3*).

15. c) Son consecuencia, casi siempre, del modo de interactuar con el niño de las personas que lo rodean: sobreprotección, uso de un lenguaje oral diferente al habitual, etc. (*Ver epígrafe 2.3*).

16. a) Depende en gran medida de la causa que ha originado la discapacidad física. Cuando se debe a parálisis cerebral, traumatismos craneoencefálicos o procesos infecciosos del sistema nervioso, suele presentarse discapacidad intelectual. (*Ver epígrafe 2.4*).

17. d) a y b son correctas. (*Ver epígrafe 2.4*).

18. a) Poliomielitis. *(Ver epígrafe 2.4).*

19. b) Mielomeningocele. *(Ver epígrafe 2.4).*

20. a) Es un trastorno heterogéneo del neurodesarrollo con grados y manifestaciones muy variables que tiene causas tanto genéticas como ambientales. *(Ver epígrafe 2.5).*

21. b) Existen discapacidades pronunciadas tanto en comunicación verbal como no verbal. *(Ver epígrafe 2.5).*

22. d) Todas son correctas. *(Ver epígrafe 2.5).*

23. c) La prosodia y volumen son normales. *(Ver epígrafe 2.5).*

24. c) Evoluciona normalmente hacia un lenguaje normal. (*Ver epígrafe 4*).

25. d) a y b son correctas. (*Ver epígrafe 4*).

26. d) Disfasia. (*Ver epígrafe 4*).

27. c) 6 años. (*Ver epígrafe 4*).

28. d) Todas son correctas. (*Ver epígrafe 4*).

29. b) Se caracteriza por la ausencia de lenguaje a los cinco años o por una mínima adquisición verbal. (*Ver epígrafe 4*).

30. b) Evitando la marginación del niño dentro del aula por causa de sus problemas lingüísticos. (*Ver epígrafe 4*).

TEST N.º 7

Alteraciones conductuales en la infancia. Técnicas de modificación de conducta

1. Los trastornos de conducta se caracterizan por:

a) Ser estables y más resistentes a la intervención que los trastornos transitorios.
b) Las habilidades sociales no suelen estar afectadas.
c) Presentar una serie de síntomas que se constituyen en un síndrome.
d) Incluye conductas patológicas en sí mismas.

2. Para que la conducta agresiva sea calificada como un trastorno del comportamiento agresivo es necesario tener en cuenta:

a) La finalidad de la agresión, es decir, que vaya dirigida a otros.
b) La persistencia de la conducta, es decir, que no sea un episodio aislado.
c) La generalización: que se dé en distintas situaciones.
d) Todas las opciones son correctas.

3. Las agresiones manipulativas:

a) Son aquellas agresiones en que intervienen las manos, es decir, las agresiones físicas.
b) Son agresiones cuya finalidad no es hacer daño, sino conseguir un juguete, por ejemplo.
c) Aparecen a partir de los cuatro años.
d) Todas las respuestas son correctas.

4. Las agresiones hostiles:

a) Son estables y persistentes a lo largo del desarrollo, manteniéndose en muchos casos en la vida adulta.
b) Son un sinónimo de las agresiones verbales.
c) Son un tipo de agresión que se utiliza como medio para conseguir un fin.
d) Ninguna de las anteriores es correcta.

5. El trastorno de conducta o trastorno disocial:

a) Tiene su inicio antes de los 6 años.
b) Se caracteriza por la agresión a personas y animales.
c) Se caracteriza por la presencia de peleas físicas, aunque nunca son iniciadas por el niño que presenta el trastorno.
d) Todas son correctas.

6. Los niños con trastorno negativista desafiante:

a) Suelen violar los derechos fundamentales de los demás.
b) Aunque discuten con los adultos siempre aceptan cumplir las obligaciones que éstos les imponen.
c) Suelen acusar a los demás de sus propios errores o mal comportamiento.
d) Suelen destruir deliberadamente las propiedades de los demás.

7. El mutismo selectivo se caracteriza por:

a) Alteraciones en la capacidad expresiva del lenguaje.
b) Alteraciones en la capacidad comprensiva del lenguaje.
c) Incapacidad para hablar en determinadas situaciones sociales definidas y previsibles.
d) Incapacidad para hablar en cualquier situación.

8. El trastorno de movimientos estereotipados:

a) Se caracteriza por la presencia de movimientos repetitivos involuntarios.
b) Se caracteriza por la presencia de movimientos repetitivos y rítmicos que no tienen ninguna función.
c) Se refiere únicamente a movimientos agresivos dirigidos al propio cuerpo.
d) a y b son correctas.

9. La siguiente definición: "es la habilidad social para emitir conductas que afirmen o ratifiquen la propia opinión en aquellas situaciones interpersonales en que pueden darse opiniones contrapuestas"; se corresponde con el concepto de:

a) Personalidad desafiante.
b) Autocontrol.
c) Personalidad oposicionista.
d) Asertividad.

10. La fobia escolar:

a) Se manifiesta como un rechazo persistente a asistir al colegio.
b) Se da siempre durante el periodo de adaptación al centro, pero es algo pasajero.

c) Se debe siempre a acontecimientos externos al centro escolar.
d) Todas son correctas.

11. El niño tiene una conciencia clara de lo que es la mentira, hasta el punto de llegar a sentirse mal por mentir:

a) Antes de los 3 años.
b) Entre los 3 y los 4 años.
c) Entre los 5 y los 6 años.
d) A partir de los 6 años.

12. De entre todos los motivos que puedan llevar al niño a mentir, el más grave es:

a) Para evitar un castigo.
b) Por falta de capacidad para distinguir entre lo real y lo imaginario.
c) Para agradar a los demás.
d) Para llamar la atención de los adultos.

13. Cuando se detecta que un alumno ha realizado un pequeño hurto de forma aislada y en ausencia de otra patología más grave que explique tal comportamiento:

a) Debemos ignorar esta conducta, pues lo más probable es que no vuelva a repetirse.
b) Intentaremos que repare el daño y que pida disculpas a la persona afectada.
c) Denunciaremos el robo inmediatamente.
d) Debemos conseguir que reconozca su culpa ante los compañeros, para que se avergüence y no repita tal comportamiento.

14. La gravedad de los hurtos depende de:

a) La edad. El niño no tiene conciencia de lo que es robar hasta los 6 años aproximadamente.
b) La persistencia del comportamiento.
c) El valor de lo robado.
d) Todas son correctas.

15. La modificación de conducta:

a) Se usa exclusivamente en el ámbito clínico como método terapéutico para tratar los distintos trastornos psicopatológicos.
b) Es un conjunto de técnicas que tienen como objetivo instaurar o incrementar conductas adaptadas.
c) Es un conjunto de técnicas que tienen como objetivo la disminución o eliminación de conductas desadaptadas.
d) b y c son correctas.

16. Los estímulos antecedentes son:

a) Todos los acontecimientos que ocurren justo antes de que aparezca la conducta objeto de nuestra atención.

b) Los sucesos que tienen lugar antes de que el sujeto emita una determinada respuesta y que tienen una relación funcional con ella, es decir, provocan su aparición.

c) Son aquellos estímulos que hacen que la conducta se mantenga en el tiempo.

d) Ninguna de las anteriores.

17. Las variables organísmicas:

a) Son las responsables de que los individuos actuemos de la misma forma en presencia de los mismos estímulos.

b) Son las variables que median entre los estímulos antecedentes y las respuestas.

c) Son las responsables de que las distintas personas actuemos de la misma forma en previsión de las mismas consecuencias.

d) Todas son correctas.

18. La intensidad de la respuesta o de la conducta se refiere a:

a) El número de veces que tiene lugar la conducta en la unidad de tiempo.

b) El tiempo que dura el comportamiento.

c) La magnitud de la respuesta.

d) La condición de observable o no observable.

19. La efectividad de un reforzador:

a) Es mayor cuanto mayor es el tiempo que transcurre entre la conducta y el reforzador.

b) Es mayor cuanto menor es el tiempo que transcurre entre la conducta y el reforzador.

c) Es menor cuanto más se aleje de los intereses del niño.

d) b y c son correctas.

20. Una de las técnicas conductuales más utilizada para fortalecer las conductas adecuadas es:

a) El castigo.

b) La extinción.

c) El aislamiento.

d) El reforzamiento.

21. El castigo negativo consiste en:

a) La aplicación de un reforzador positivo.

b) La aplicación de un reforzador negativo.

c) La retirada de un reforzador positivo.
d) La retirada de un reforzador negativo.

22. Para que la técnica de aislamiento sea efectiva debemos tener en cuenta que:

a) La técnica del aislamiento por sí sola es efectiva, no necesita combinarse con otras.
b) El pasillo no es un buen lugar para sacar al niño de clase.
c) Cuanto más tiempo esté aislado el alumno, mayor efectividad, aunque no debe sobrepasar los 60 minutos.
d) Es una técnica muy utilizada por su simplicidad. No necesita la colaboración de la familia ni de otros profesores.

23. La economía de fichas es una combinación de:

a) Refuerzo negativo y castigo positivo.
b) Refuerzo negativo y castigo negativo.
c) Refuerzo positivo y castigo negativo.
d) Refuerzo positivo y castigo positivo.

24. La técnica de la extinción consiste en:

a) Aplicar reforzadores negativos para que la conducta no deseada desaparezca.
b) Ignorar la conducta disruptiva para que deje de producirse.
c) Aplicar programas de refuerzo positivo para que la conducta llegue a extinguirse.
d) La retirada de consecuencias agradables para que deje de emitir la conducta no deseada.

25. Entre las variables que favorecen el aprendizaje de la conducta en el modelado podemos citar:

a) La diferencia de edad entre el modelo y el observador. Para un niño el mejor modelo es un adulto.
b) El uso de un solo modelo.
c) Comenzar por las conductas más complejas y dejar las más fáciles para el final.
d) El estado de relajación favorece el proceso de modelado.

Solución al test n.º 7

1. a) Ser estables y más resistentes a la intervención que los trastornos transitorios. (*Ver epígrafe 2*).

2. d) Todas las opciones son correctas. (*Ver epígrafe 2.1*).

3. b) Son agresiones cuya finalidad no es hacer daño, sino conseguir un juguete, por ejemplo. (*Ver epígrafe 2.1*).

4. a) Son estables y persistentes a lo largo del desarrollo, manteniéndose en muchos casos en la vida adulta. (*Ver epígrafe 2.1*).

5. b) Se caracteriza por la agresión a personas y animales. (*Ver epígrafe 2.2*).

6. c) Suelen acusar a los demás de sus propios errores o mal comportamiento. (*Ver epígrafe 2.3*).

7. c) Incapacidad para hablar en determinadas situaciones sociales definidas y previsibles. (*Ver epígrafe 2.4*).

8. b) Se caracteriza por la presencia de movimientos repetitivos y rítmicos que no tienen ninguna función. (*Ver epígrafe 2.5*).

9. d) Asertividad. (*Ver epígrafe 2.6*).

10. a) Se manifiesta como un rechazo persistente a asistir al colegio. (*Ver epígrafe 2.7*).

11. d) A partir de los 6 años. (*Ver epígrafe 2.8*).

12. b) Por falta de capacidad para distinguir entre lo real y lo imaginario. (*Ver epígrafe 2.8*).

13. b) Intentaremos que repare el daño y que pida disculpas a la persona afectada. (*Ver epígrafe 2.9*).

14. d) Todas son correctas. (*Ver epígrafe 2.9*).

15. d) b y c son correctas. (*Ver epígrafe 4*).

16. b) Los sucesos que tienen lugar antes de que el sujeto emita una determinada respuesta y que tienen una relación funcional con ella, es decir, provocan su aparición. (*Ver epígrafe 4.2.1*).

17. b) Son las variables que median entre los estímulos antecedentes y las respuestas. (*Ver epígrafe 4.2.2*).

18. c) La magnitud de la respuesta. (*Ver epígrafe 4.2.3*).

19. b) Es mayor cuanto menor es el tiempo que transcurre entre la conducta y el reforzador. (*Ver epígrafe 4.3.1*).

20. d) El reforzamiento. (*Ver epígrafe 4.4.1*).

21. c) La retirada de un reforzador positivo. (*Ver epígrafe 4.4.3*).

22. b) El pasillo no es un buen lugar para sacar al niño de clase. (*Ver epígrafe 4.4.4*).

23. c) Refuerzo positivo y castigo negativo. (*Ver epígrafe 4.4.5*).

24. b) Ignorar la conducta disruptiva para que deje de producirse. (*Ver epígrafe 4.4.6*).

25. d) El estado de relajación favorece el proceso de modelado. (*Ver epígrafe 4.4.7*).

TEST N.º 8

El período de adaptación del niño o niña a la escuela infantil. Criterios de organización. El papel del técnico de Educación Infantil en este periodo

1. El proceso de adaptación se debe de planificar:

a) Escalonadamente.
b) Alternando días.
c) Alternando semanas.
d) Alternando meses.

2. La adaptación del niño a la escuela ha de entenderse no sólo como la adquisición de las rutinas establecidas, sino también como:

a) Un problema con el que la familia se encuentra y que tienen que resolver los educadores.
b) La superación de problemas psicoafectivos que no necesitan evaluarse.
c) Su integración social y afectiva (con sus compañeros, con el educador).
d) Un periodo en el que niño sale de la familia, la cual no puede interferir en la tarea del educador para conseguir que el niño se adapte.

3. Señala cuál de las siguientes conductas problemáticas puede aparecer como consecuencia de una mala superación del período de adaptación:

a) Vómitos.
b) Fiebre.
c) Regresiones en hábitos ya adquiridos.
d) Todas las respuestas son correctas.

4. Para darse un periodo de adaptación correcto, hace falta:

a) Conseguir un clima aceptable.
b) Las relaciones han de ser placenteras.
c) Interaccionar positivamente con el niño.
d) Todas las anteriores.

5. Todos los niños buscan la satisfacción personal en:

a) Situaciones de peligro.
b) En sus necesidades fisiológicas.
c) Ante determinadas vivencias.
d) Las respuestas a y b son correctas.

6. El primer conflicto que el niño tiene que superar ante la llegada al Centro es:

a) La primera separación familiar.
b) Insatisfacción personal.
c) Necesidad de protección.
d) Ninguna es correcta.

7. El lactante, desde el momento de nacer, se comporta:

a) De forma activa.
b) De forma pasiva.
c) De forma negativa.
d) Ninguna es correcta.

8. El bebé imita conductas como:

a) Abre la boca.
b) Cierra la boca.
c) Mueve los ojos.
d) Todas son correctas.

9. El hecho de que el niño no llore puede significar:

a) Que no afronta la situación.
b) Que ya ha llorado en casa porque no quiere ir al centro escolar.
c) Que se cierra al mundo exterior.
d) Ninguna es correcta.

10. Pedir a la familia que traigan los niños y niñas objetos personales que puedan ejercer de sustituto afectivo de la casa-familia, es un buen recurso para:

a) El control de esfínteres.
b) Las salidas al patio.
c) Realizar actividades de grupo.
d) Facilitar la entrada al centro.

11. ¿A qué se llama en psicología fenómeno transicional?

a) Al periodo de adaptación que se produce en el niño cuando entra en el colegio.
b) Al hecho de que los niños tengan un objeto del que nunca se separen para reducir la ansiedad.

c) A los conflictos que aparecen en el periodo de adaptación.
d) A la capacidad que tiene el niño para adaptarse a los cambios.

12. ¿A qué edad suele producirse el fenómeno transicional?

a) Antes de los 6 meses.
b) Entre los 6 y los 12 meses.
c) Entre los 12 y los 18 meses.
d) Entre los 18 y los 24 meses.

13. Entre las actuaciones de los padres que facilitan la adaptación del niño a la escuela, no se encuentra:

a) Hablar favorablemente de la escuela.
b) No desesperarse si la adaptación es lenta.
c) Ser inflexibles.
d) No engañar al niño.

14. La función que tiene la presencia de los padres en el aula durante el periodo de adaptación es:

a) Permitir al niño explorar libremente este nuevo entorno, con la confianza que le da el hecho de tener cerca una figura de apego.
b) Que los padres conozcan al tutor del niño en el desempeño de su actividad.
c) Que los padres conozcan el centro escolar.
d) Realizar la primera toma de contacto entre los padres y madres y de los alumnos del grupo.

15. En líneas generales, la organización del período de adaptación debe contemplar:

a) Sensibilización y elaboración de un plan de trabajo del educador para esta etapa, conocimiento de la escuela por parte de los padres y evaluación y posible replanteamiento e informes a los padres.
b) Planificación, desarrollo y evaluación.
c) Atención a los padres y madres y atención a los alumnos.
d) Atención a los padres y madres, atención al grupo de alumnos y atención específica a los niños con mayor dificultad de adaptación.

16. La adaptación del niño al centro se facilita con un horario:

a) Reducido.
b) Completo.
c) Ampliado.
d) El tipo de horario no afecta a la adaptación.

17. Señala la afirmación correcta sobre el periodo de adaptación:

a) En el periodo de adaptación no se deben introducir las rutinas, ya que los niños necesitan toda la atención para adaptarse.

b) En el periodo de adaptación se debe empezar cuanto antes a introducir las rutinas que se llevarán a cabo durante todo el curso, ya que esto les aporta a los niños seguridad.

c) En el primer ciclo de educación infantil no hay rutinas, las actividades se realizan según las necesidades de los niños.

d) La introducción de las rutinas que se llevarán a cabo durante todo el curso corresponde a los padres, que las realizarán unas semanas antes del inicio del curso escolar.

18. Las actividades a realizar durante el periodo de adaptación:

a) Deben tener carácter lúdico.

b) Deben ser motivadoras.

c) Estarán dirigidas a conocer el nuevo entorno donde se encuentran los niños.

d) Todas son correctas.

19. Durante el periodo de adaptación:

a) Es importante que los niños no salgan de su clase.

b) Es importante que los niños estén todo el tiempo en el patio jugando libremente y que no entren en el aula hasta que el periodo de adaptación haya finalizado.

c) Es importante que los niños conozcan tanto su clase como otras dependencias de la escuela infantil.

d) Es importante que los niños estén cada día en un aula diferente y con un educador diferente, para que así puedan conocer cuanto antes todas las dependencias del centro y a todos los profesionales que allí trabajan.

20. Tras el periodo de adaptación el docente debe evaluar:

a) No es necesario evaluar el periodo de adaptación.

b) Únicamente la adaptación de los alumnos.

c) Su propia práctica educativa y la adaptación de los alumnos.

d) Su propia práctica educativa, la planificación del periodo de adaptación y la adaptación de los alumnos.

Solución al test n.º 8

1. a) Escalonadamente. *(Ver epígrafe 2).*

2. c) Su integración social y afectiva (con sus compañeros, con el educador). *(Ver epígrafe 2).*

3. d) Todas las anteriores. *(Ver epígrafe 2/2.1).*

4. d) Todas las respuestas son correctas. Ver epígrafe 2).

5. d) a y b son correctas. *(Ver epígrafe 2).*

6. a) La primera separación familiar. *(Ver epígrafe 2.1).*

7. a) De forma activa. *(Ver epígrafe 2.1).*

8. d) Todas son correctas. *(Ver epígrafe 2.1).*

9. a) Que no afronta la situación sin más. *(Ver epígrafe 2.2).*

10. d) Facilitar la entrada al centro. *(Ver epígrafe 2.3).*

11. b) Al hecho de que los niños tengan un objeto del que nunca se separen para reducir la ansiedad. *(Ver epígrafe 2.3).*

12. b) Entre los 6 y los 12 meses. *(Ver epígrafe 2.3).*

13. c) Ser inflexibles. *(Ver epígrafe 2.4).*

14. a) Permitir al niño explorar libremente este nuevo entorno, con la confianza que le da el hecho de tener cerca una figura de apego. *(Ver epígrafe 2.4).*

15. a) Sensibilización y elaboración de un plan de trabajo del educador para esta etapa, conocimiento de la escuela por parte de los padres y evaluación y posible replanteamiento e informes a los padres. *(Ver epígrafe 3).*

16. a) Reducido. *(Ver epígrafe 3.2).*

17. b) En el periodo de adaptación se debe empezar cuanto antes a introducir las rutinas que se llevarán a cabo durante todo el curso, ya que esto les aporta a los niños seguridad. *(Ver epígrafe 3.3).*

18. d) Todas son correctas. *(Ver epígrafe 3.4).*

19. c) Es importante que los niños conozcan tanto su clase como otras dependencias de la escuela infantil. *(Ver epígrafe 3.4).*

20. d) Su propia práctica educativa, la planificación del periodo de adaptación y la adaptación de los alumnos. *(Ver epígrafe 3.5).*

TEST N.º 9

Comunicación y colaboración entre el centro y las familias

1. Indica cuál de las siguientes características corresponde a los grupos primarios de socialización:

a) Son los primeros que intervienen en la configuración de la identidad personal y en la evolución social.
b) La individualidad surge de la relación entre los miembros del grupo primario.
c) Son la clave para explicar la naturaleza social del hombre y su desarrollo.
d) Todas las anteriores.

2. ¿Qué entendemos por "función socializadora de la familia"?

a) Que la familia esta insertada en una sociedad con unos prototipos establecidos.
b) Que la familia le va a ir explicando poco a poco al niño cuales son las funciones que este tiene que cumplir socialmente.
c) Que la familia es el lugar de las primeras relaciones interpersonales. El niño comienza a conocer a los otros, sus relaciones, y el papel particular de cada uno.
d) Que dentro de lo que es la unidad familiar, el niño tiene que ir tomando poco a poco una rol que le ayudará a integrarse en la sociedad.

3. En el estilo de comportamiento de los padres y su influencia sobre el niño destacan cuatro dimensiones. Indica la que no corresponde:

a) El grado de control.
b) La comunicación padres-hijos.
c) La permisividad.
d) El afecto en la relación.

4. Bajos niveles de control, pero altos niveles en comunicación y afecto, es característico de:

a) Padres autoritarios.
b) Padres permisivos.
c) Padres democráticos.
d) Ninguno de los anteriores.

5. Suelen originar en los hijos desconfianza, retracción y baja competencia social. Nos referimos a:

a) Padres autoritarios.
b) Padres permisivos.
c) Padres democráticos.
d) Ninguno de los anteriores.

6. Bajos niveles de control, de exigencias de madurez, de comunicación y afecto, es característico de:

a) Padres autoritarios.
b) Padres permisivos.
c) Padres democráticos.
d) Ninguno de los anteriores.

7. Altos niveles de comunicación, afecto, control y exigencias de madurez, es característico de:

a) Padres autoritarios.
b) Padres permisivos.
c) Padres democráticos.
d) Ninguno de los anteriores.

8. Indica cuál de las siguientes afirmaciones es falsa:

a) Las relaciones entre hermanos están afectados por el número de hermanos, el orden de nacimiento, el sexo, etc.
b) Las parejas de hermanos del mismo sexo se implican con mayor frecuencia en interacciones cálidas y en la imitación mutua de comportamientos.
c) Los hermanos mayores adoptan actitudes y comportamientos más afectuosos que los hermanos menores.
d) Los hermanos pequeños de familias numerosas reciben menos atenciones de los mayores que los de familias con pocos hijos.

9. La clase social a que pertenece la familia condiciona:

a) Los patrones estimulantes.
b) El coeficiente intelectual.
c) Las habilidades y aptitudes musicales.
d) Ninguna es correcta.

10. ¿Qué papel desempeña la familia en el comportamiento del niño?

a) Configura ambientes integradores.
b) Refuerza tensiones.

c) Refuerza comportamientos erróneos.
d) Todo lo anterior.

11. Indica cuál de las siguientes afirmaciones respecto a los grupos de pertenencia es falsa:

a) Cada grupo de pertenencia presenta características comunes de variada naturaleza.
b) Cada individuo, a lo largo de su vida, permanece siempre en el mismo grupo de pertenencia.
c) Las aspiraciones y expectaciones del individuo están influidos por el grupo al que pertenece.
d) El grupo de pertenencia conforma el marco de referencia del individuo.

12. Una de las expectativas generales de las familias respecto al centro educativo es:

a) Participar en el Proyecto Educativo.
b) Participar en la gestión del centro.
c) Que la escuela no signifique un proceso de ruptura con la familia.
d) Todas las anteriores.

13. Uno de los cauces de participación de los padres en el Centro de Educación Infantil es:

a) Las tutorías de padres.
b) La colaboración de padres en el aula.
c) La escuela de padres.
d) Todos los anteriores.

14. Las entrevistas del educador con los padres debe ser organizada con unos contenidos relevantes, y además:

a) Presentarle a los padres con frialdad la problemática que con su hijo soportan.
b) No referir temas sobre el grupo de clase, solo sobre el alumno en sí.
c) Firme, en cuanto a la defensa de concepciones y estrategias acordes con los planteamientos de base, aunque en disposición de explicarlos para que sean comprendidos.
d) Sin documentación por delante para que sea más distendida.

15. De las siguientes tareas sobre la vinculación de los docentes con los padres y madres, señala la correcta:

a) No debe darse importancia a la vinculación entre padres y educador, sino entre niños y educador.
b) Las relaciones entre padres y educadores serán limitadas y las establece el centro.

c) Los padres son los que tienen que tomar la iniciativa de informar a los tutores solo cuando lo crean conveniente.
d) Coordinar grupos de discusión sobre temas formativos de interés para los padres.

16. Uno de los siguientes cometidos no corresponde a la asamblea de padres/madres. ¿Cuál?

a) El seguimiento del desarrollo educativo de los alumnos.
b) La propuesta de actividades específicas.
c) La organización de la participación de las familias en el aula.
d) La formación de padres y madres en temas educativos de interés para ellos.

17. ¿Cuál es la forma de participación más idónea para establecer una comunicación fluida y personal entre el educador y las familias?

a) Tutorías de padres y madres.
b) Asamblea de padres y madres.
c) Colaboración de padres y madres en el aula.
d) Escuela de padres y madres.

18. Tiene como finalidad la formación de los padres y madres en temas educativos de interés para ellos. Nos referimos a:

a) La asamblea de padres y madres.
b) La asociación de madres y padres de alumnos.
c) Los talleres monográficos.
d) La escuela de padres y madres.

19. Respecto a la entrevista con los padres, ¿cuál de las siguientes afirmaciones es incorrecta?

a) Debe girar exclusivamente alrededor de la existencia de problemas.
b) Debe apoyarse en un cuestionario.
c) Debe perseguir unos objetivos establecidos previamente por el profesor.
d) Responderá a un contenido previamente planificado por el profesor.

20. A la hora de preparar una reunión de padres es necesario tener en cuenta:

a) Las reuniones deben convocarse con suficiente tiempo de antelación para que las familias se puedan organizar y en horarios asequibles para los padres.
b) Debemos esperar a que llegue el último padre o madre que haya confirmado su asistencia para comenzar la reunión, aunque ello suponga retrasar considerablemente la hora de inicio.
c) Evitaremos colocar las sillas en círculo ya que el ambiente informal no favorece la participación y colaboración de las familias.
d) Todas son correctas.

Solución al test n.º 9

1. d) Todas las anteriores. *(Ver epígrafe 1).*

2. c) Que la familia es el lugar de las primeras relaciones interpersonales. El niño comienza a conocer a los otros, sus relaciones, y el papel particular de cada uno. *(Ver epígrafe 2).*

3. c) La permisividad. *(Ver epígrafe 2).*

4. b) Padres permisivos. *(Ver epígrafe 2).*

5. a) Padres autoritarios. *(Ver epígrafe 2).*

6. d) Ninguno de los anteriores. *(Ver epígrafe 2).*

7. c) Padres democráticos. *(Ver epígrafe 2).*

8. d) Los hermanos pequeños de familias numerosas reciben menos atenciones de los mayores que los de familias con pocos hijos. *(Ver epígrafe 2).*

9. a) Los patrones estimulantes. *(Ver epígrafe 3.1).*

10. d) Todo lo anterior. *(Ver epígrafe 3).*

11. b) Cada individuo, a lo largo de su vida, permanece siempre en el mismo grupo de pertenencia. *(Ver epígrafe 3.2).*

12. d) Todas las anteriores. *(Ver epígrafe 3.3).*

13. d) Todos los anteriores. *(Ver epígrafe 4).*

14. c) Firme, en cuanto a la defensa de concepciones y estrategias acordes con los planteamientos de base, aunque en disposición de explicarlos para que sean comprendidos. *(Ver epígrafe 4).*

15. d) Coordinar grupos de discusión sobre temas formativos de interés para los padres. *(Ver epígrafe 4).*

16. d) La formación de padres y madres en temas educativos de interés para ellos. *(Ver epígrafe 4).*

17. a) Tutorías de padres y madres. *(Ver epígrafe 4).*

18. d) La escuela de padres y madres. *(Ver epígrafe 4).*

19. a) Debe girar exclusivamente alrededor de la existencia de problemas. *(Ver epígrafe 4).*

20. a) Las reuniones deben convocarse con suficiente tiempo de antelación para que las familias se puedan organizar y en horarios asequibles para los padres. *(Ver epígrafe 4.1).*

TEST N.º 10

El trabajo en equipo en el centro de Educación Infantil. Funciones del Técnico especialista en Jardín de Infancia

1. En relación con las características que definen un grupo, no es cierto que:

a) El grupo es un sistema abierto.
b) En el seno del grupo existen subsistemas.
c) El grupo es dinámico y cambiante.
d) La estructura y roles son estables.

2. Entre los tipos de estructuras grupales, no se encuentra:

a) Estructuras de poder.
b) Estructuras de comunicación.
c) Estructuras de liderazgo.
d) Estructuras sociométricas.

3. ¿Cuál de las siguientes no es una estructura de comunicación?

a) Estructura de rueda.
b) Estructura circular.
c) Estructura en forma de Y.
d) Estructura lineal.

4. Entre los factores que inciden en la cohesión grupal, no se encuentra:

a) Liderazgo sólido.
b) Afinidad.
c) Edad.
d) Conformidad de los objetivos.

5. ¿Cuál de los siguientes enunciados en relación con el equipo docente es falso?

a) Hay reparto de funciones.
b) Cada miembro interviene en base a su formación y funciones.

c) Surge ante la especialización y diversificación de objetivos en el centro escolar.
d) Todas son ciertas.

6. Todas las siguientes son funciones del equipo de ciclo, excepto:

a) Realizar las adaptaciones curriculares significativas para el alumnado con necesidades educativas especiales.
b) Realizar propuestas de actividades escolares complementarias y extraescolares.
c) Organizar y desarrollar las enseñanzas propias de la etapa educativa.
d) Realizar propuestas para la elaboración del proyecto curricular.

7. Una de las siguientes no es función del claustro. ¿Puede señalarla?

a) Programar las actividades extraescolares del centro.
b) Coordinar las funciones de orientación y tutoría de los alumnos.
c) Evaluar las propuestas del equipo directivo para el desarrollo de actividades complementarias.
d) Fijar y coordinar criterios sobre la labor de evaluación y recuperación.

8. Cuál de las siguientes afirmaciones sobre el papel del/la Educador/a de Educación Infantil es correcta:

a) Dicho papel está relacionado con programar, intervenir educativamente y evaluar programas de atención al discapacitado, aplicando los métodos de diagnóstico psicológico que permitan saber el nivel de desarrollo de los niños y niñas de 0 a 3 años, organizando los recursos adecuados.
b) Dicho papel está relacionado con programar, intervenir educativamente y evaluar programas de atención a las familias con riesgo de exclusión social, aplicando los métodos de enseñanza-aprendizaje que favorezcan el desarrollo autónomo de los niños y niñas de 0 a 6 años, organizando los recursos adecuados.
c) Dicho papel está relacionado con programar, intervenir educativamente y evaluar programas de atención a la infancia, aplicando los métodos de enseñanza-aprendizaje que favorezcan el desarrollo autónomo de los niños y niñas de 0 a 3 años, organizando los recursos adecuados.
d) Dicho papel está relacionado con programar, intervenir educativamente y evaluar programas de atención a la infancia, aplicando los métodos de enseñanza-aprendizaje que favorezcan el desarrollo autónomo de los niños y niñas de 0 a 6 años, organizando los recursos adecuados.

9. El conjunto de actividades y objetivos profesionales que caracterizan a cada profesional se conoce como:

a) Competencia profesional.
b) Capacidad profesional.
c) Eficacia profesional.
d) Perfil profesional.

10. Al conjunto de conocimientos, destrezas, habilidades y aptitudes adquiridos a través de los procesos formativos o de la experiencia profesional, que permiten desempeñar y realizar los roles y situaciones de trabajo requeridos en el empleo se conoce como:

a) Competencia profesional.
b) Capacidad profesional.
c) Eficacia profesional.
d) Perfil profesional.

11. Para delimitar el perfil profesional del/la Educador/a de Educación Infantil, debemos considerar, entre otros, el siguiente factor:

a) Expresar qué deberán ser capaces de realizar los Educador/a de Educación Infantil.
b) Incluir capacidades que se refieran a las diferentes dimensiones de la profesionalidad: técnicas de organización, de cooperación y relación y de respuesta a las contingencias.
c) Concretar una cierta especialización para asegurar el desempeño competente del puesto de trabajo.
d) Todas son correctas.

12. El/la Educador/a Infantil debe ser capaz, entre otras cosas, de:

a) Desarrollar proyectos de intervención con niños de 0 a 3 años, atendiendo sus necesidades básicas, favoreciendo su desarrollo integral y organizando los recursos didácticos propios de su competencia profesional.
b) Evaluar programas, proyectos y actividades de Educación Infantil y Atención a la Infancia utilizando los recursos técnicos necesarios, procesando la información obtenida para optimizar el proceso de enseñanza-aprendizaje e intervenir en los procesos transaccionales del niño con su entorno inmediato mediante los recursos de orientación adecuados.
c) Las opciones a) y b) son correctas.
d) Ninguna de las anteriores, ya que son funciones del maestro con la especialidad de educación infantil.

13. Los distintos profesionales que trabajan en educación infantil de 0 a 3 años:

a) No deben reflexionar sobre su intervención educativa, ni reformular su actividad, limitándose en todo momento a actuar como indiquen sus superiores.
b) Deben poseer la formación necesaria para coparticipar con familias, equipos y otros profesionales en el desarrollo global de los niños de cero a tres años.
c) Bajo ningún concepto coparticiparán con la familia. Esta es una tarea de los psicopedagogos. Los padres entorpecerían el proceso educativo en el medio escolar.
d) Las opciones a) y b) son correctas.

14. Uno de los principios de intervención del educador siguiendo el modelo de Luengo (1996) es favorecer y fomentar la protección y la salud de niños y niñas y tener en cuenta el medio y los espacios, esto significa que:

a) Se deben organizar entornos seguros, limpios y saludables.
b) Potenciar hábitos de salud, cuidar la alimentación y fomentar la actividad física, dejando la educación afectiva y sexual para etapas educativas posteriores.
c) Estructurar ambientes cerrados donde solo tengan cabida las actividades de pequeño grupo, para lograr que se centren en la tarea.
d) Todas son correctas.

15. Otro de estos principios dice que se debe fomentar la diversión, el juego, lo placentero, potenciar la actividad lúdica como agente del proceso evolutivo de niños y niñas, esto implica:

a) Priorizar la actividad lúdica con adultos, ya que el juego entre iguales no produce aprendizajes.
b) Tener en cuenta la actividad lúdica del niño como marco básico para la construcción del conocimiento.
c) Las opciones a) y b) son correctas.
d) Ninguna de las anteriores.

16. Facilitar vínculos de apego estables e incondicionales:

a) Dificulta la relación niño-educador a favor de la familia que es donde se establecen los primeros vínculos de apego.
b) Hacen al niño dependiente del educador.
c) Estimula y favorece la seguridad emocional y la autoestima.
d) Dificulta la relación entre padres y educadores.

17. El educador infantil debe favorecer la integración de las diferencias y la atención a la diversidad en todas sus dimensiones, lo que implica:

a) Diseñar y desarrollar proyectos con una organización rígida donde los alumnos con menos capacidad tengan las mismas exigencias y objetivos que el resto de alumnos.
b) Organizar la práctica educativa en torno a un curriculum cerrado.
c) Desarrollar prácticas educativas basadas en el principio de atención individualizada.
d) Todas son correctas.

18. Parte de la competencia de los técnicos en jardín de infancia consiste en:

a) Colaborar con otros profesionales.
b) Actualizarse y formarse permanentemente.
c) Adaptarse a los nuevos requerimientos de su campo profesional.
d) Todas son correctas.

19. El conjunto de principios y normas morales que regulan una actividad profesional se conoce con el nombre de:

a) Competencia profesional.
b) Ética profesional.
c) Perfil profesional.
d) Currículum profesional.

20. Entre los valores centrales del conjunto de principios éticos, podemos citar:

a) Para comprender mejor al niño debemos considerarlo al margen de su entorno familiar, social y cultural. Así apreciamos mejor sus características personales.
b) Apreciar la infancia como una etapa única y valiosa en el ciclo de la vida del ser humano.
c) No tener en cuenta a la familia del niño, pues en muchas ocasiones puede dificultar su óptimo desarrollo.
d) Todas son correctas.

21. Los principios y normas morales que regulan la actividad del educador infantil:

a) Se refieren a la actuación con el niño.
b) Se refieren a las actuaciones con el niño y las familias.
c) Se refieren a las actuaciones con el niño, las familias y con otros profesionales implicados.
d) Se refieren a las actuaciones con el niño, las familias, con otros profesionales implicados y con la comunidad y la sociedad.

22. Las responsabilidades éticas con los niños se reflejan, entre otros, en los siguientes ideales:

a) Basar nuestra práctica en el conocimiento y la investigación actuales en el ámbito de la educación de niños pequeños, el desarrollo infantil y disciplinas relacionadas, así como en el conocimiento particular de cada niño.
b) Apreciar la vulnerabilidad de los niños y su dependencia de los adultos.
c) Apoyar el derecho de cada niño de jugar y aprender en un ambiente inclusivo donde se satisfagan las necesidades tanto de niños con discapacidades, como de niños sin ellas.
d) Todas son correctas.

23. El principio ético que tiene prioridad sobre todos los demás es el siguiente:

a) Utilizaremos sistemas adecuados de evaluación.
b) Llevaremos a cabo siempre el tipo de educación que desee la familia.
c) No participaremos en prácticas que causen daños emocionales ni físicos, que exploten a los niños ni que sean irrespetuosas, degradantes, peligrosas, ni intimidantes para los niños.
d) Nos esforzaremos por entablar una relación individual con cada niño.

24. Cuando tengamos motivos razonables para sospechar el abuso o el descuido infantil:

a) Lo denunciaremos.
b) No podemos denunciar, pero sí avisar a los padres.
c) Lo expulsaremos inmediatamente del centro escolar.
d) Las opciones b) y c) son correctas.

25. Las responsabilidades éticas con las familias se reflejan, entre otros, en los siguientes ideales:

a) Recibir con agrado a todos los familiares, pero sin permitirle participar en las distintas actividades educativas, ya que pueden entorpecer la labor educativa.
b) Reconocer los valores de las familias respecto a la crianza de los hijos, pero deben ser los educadores los que tomen todas las decisiones relacionadas con sus hijos.
c) Escuchar a las familias, reconocer y entender sus puntos fuertes y competencias, y aprender de ellas al apoyarlas en su tarea de criar a sus hijos.
d) Ninguna es correcta.

26. Las responsabilidades éticas con los colegas implican que el trabajo será más beneficioso para los niños:

a) Cuando los compañeros compiten entre ellos para desarrollar mejores programas, sin compartir la información que tienen.
b) Cuando se mantiene un ambiente amistoso y cooperativo.
c) Cuando no existe relación entre los distintos profesionales.
d) Cuando admitimos hacer siempre el trabajo de nuestros compañeros, aunque para ello tengamos que dejar de lado el nuestro.

27. Las personas que trabajan con niños pequeños tienen una serie de responsabilidades con la comunidad y la sociedad que se reflejan, entre otros, en los siguientes ideales:

a) Promover la creación de programas y servicios de alta calidad de cuidado y educación de niños pequeños.
b) Fomentar la colaboración interdisciplinar entre profesiones que tratan cuestiones de la salud, la educación y el bienestar de niños pequeños, sus familias y sus cuidadores o educadores.
c) Respaldar las normativas y leyes que fomentan el bienestar de niños y familias, y trabajar por cambiar aquellas que perjudican su bienestar.
d) Todas son correctas.

28. Entre las funciones del educador de Educación Infantil no se encuentra:

a) Favorecer y estimular el desarrollo integral, la comunicación y el aprendizaje.
b) Organizar el ambiente educativo, vigilando las condiciones higiénicas, sanitarias y de seguridad.
c) Participar en las adaptaciones curriculares como miembro del equipo docente.
d) Evaluar programas y actividades de educación y atención a la infancia.

Solución al test n.º 10

1. d) La estructura y roles son estables. *(Ver epígrafe 2.1).*

2. c) Estructuras de liderazgo. *(Ver epígrafe 2.1).*

3. d) Estructura lineal. *(Ver epígrafe 2.1).*

4. a) Liderazgo sólido. *(Ver epígrafe 2.1).*

5. d) Todas son ciertas. *(Ver epígrafe 2.2).*

6. c) Organizar y desarrollar las enseñanzas propias de la etapa educativa. *(Ver epígrafe 2.2).*

7. a) Programar las actividades extraescolares del centro. *(Ver epígrafe 2.2).*

8. c) Dicho papel está relacionado con programar, intervenir educativamente y evaluar programas de atención a la infancia, aplicando los métodos de enseñanza-aprendizaje que favorezcan el desarrollo autónomo de los niños y niñas de 0 a 3 años, organizando los recursos adecuados. *(Ver epígrafe 4.3).*

9. d) Perfil profesional. *(Ver epígrafe 4.1).*

10. a) Competencia profesional. *(Ver epígrafe 4.1).*

11. d) Todas son correctas. *(Ver epígrafe 4.1).*

12. c) Las opciones a) y b) son correctas. *(Ver epígrafe 4.3).*

13. b) Deben poseer la formación necesaria para coparticipar con familias, equipos y otros profesionales en el desarrollo global de los niños de cero a tres años. *(Ver epígrafe 4.3).*

14. a) Se deben organizar entornos seguros, limpios y saludables. *(Ver epígrafe 4.4).*

15. b) Tener en cuenta la actividad lúdica del niño como marco básico para la construcción del conocimiento. *(Ver epígrafe 4.4).*

16. c) Estimula y favorece la seguridad emocional y la autoestima. *(Ver epígrafe 4.4).*

17. c) Desarrollar prácticas educativas basadas en el principio de atención individualizada. *(Ver epígrafe 4.4).*

18. d) Todas son correctas. *(Ver epígrafe 4).*

19. b) Ética profesional. *(Ver epígrafe 4.5).*

20. b) Apreciar la infancia como una etapa única y valiosa en el ciclo de la vida del ser humano. *(Ver epígrafe 4.5).*

21. d) Se refieren a las actuaciones con el niño, las familias, con otros profesionales implicados y con la comunidad y la sociedad. *(Ver epígrafe 4.5).*

22. d) Todas son correctas. *(Ver epígrafe 4.5).*

23. c) No participaremos en prácticas que causen daños emocionales ni físicos, que exploten a los niños ni que sean irrespetuosas, degradantes, peligrosas, ni intimidantes para los niños. *(Ver epígrafe 4.5).*

24. a) Lo denunciaremos. *(Ver epígrafe 4.5).*

25. c) Escuchar a las familias, reconocer y entender sus puntos fuertes y competencias, y aprender de ellas al apoyarlas en su tarea de criar a sus hijos. *(Ver epígrafe 4.5).*

26. b) Cuando se mantiene un ambiente amistoso y cooperativo. *(Ver epígrafe 4.5).*

27. d) Todas son correctas. *(Ver epígrafe 4.5).*

28. c) Participar en las adaptaciones curriculares como miembro del equipo docente *(Ver epígrafe 4.5).*

Bloque Temático II: Desarrollo Infantil

Índice de test

TEST N.º 11

Teorías del desarrollo. Características principales del desarrollo en la edad infantil

1. Respecto al desarrollo infantil, podemos decir que:

a) El orden en que se consiguen los diferentes logros es prácticamente igual para todos los niños.
b) Todos los niños alcanzan los distintos logros a la misma edad. Especialmente en el primer año de vida.
c) a y b son correctas.
d) Ninguna de las anteriores es correcta.

2. El conocimiento de las características del desarrollo infantil nos permite:

a) Conocer la fecha exacta en la que un bebé debe sentarse, mantenerse de pie, caminar, etc.
b) Ofrecer un cuidado y atención adecuado al nivel de desarrollo de cada niño.
c) Saber anticipadamente qué es capaz de hacer cada niño según su edad cronológica.
d) a y b son correctas.

3. La rama de la Psicología que estudia los procesos de cambio psicológico y madurativo que ocurren a lo largo del periodo vital se denomina:

a) Psicología madurativa.
b) Psicología educativa.
c) Psicología escolar.
d) Psicología evolutiva.

4. Hablamos de teorías del desarrollo, en plural, porque:

a) A lo largo de los años se han gestado muchas teorías diferentes, pero solo una de ellas tiene carácter global e integrador: la teoría psicoanalítica.
b) La rama de la Psicología que estudia el desarrollo es una ciencia joven en la que aún conviven diversas teorías referidas a distintos aspectos del desarrollo, o al mismo aspecto, pero tratado según diferentes puntos de vista.

c) Aunque solo existe una teoría globalmente aceptada, los distintos teóricos utilizan métodos diferentes.
d) El proceso de desarrollo es diferente según el entorno sociocultural del individuo.

5. Los dos autores más relevantes al hablar de desarrollo y educación son:

a) Piaget y Vigotsky.
b) Piaget y Freud.
c) Freud y Vigotsky.
d) Watson y Freud.

6. Los tres conceptos fundamentales en la teoría psicoanalítica del desarrollo son:

a) La etapa oral, la etapa anal y la etapa fálica.
b) La libido, el inconsciente y las pulsiones sexuales.
c) La evolución del niño en etapas, la fijación y la regresión.
d) El complejo de Edipo, el sentimiento de culpa y el inconsciente.

7. Según Freud, el complejo de Edipo ocurre en:

a) La etapa oral.
b) La etapa anal.
c) La etapa fálica o genital.
d) La etapa de latencia sexual.

8. El creador del conductismo y de las primeras teorías conductistas fue:

a) Watson.
b) Skinner.
c) Vigotsky.
d) Piaget.

9. El creador del conductismo establece que el objeto de estudio de la psicología debe ser:

a) El inconsciente.
b) Los fenómenos psíquicos internos.
c) El comportamiento observable.
d) Los procesos mentales internos y conscientes.

10. Podemos definir el condicionamiento de Watson como:

a) El miedo que desarrolla el individuo en situaciones experimentales.
b) La respuesta del niño frente a ruidos fuertes y repentinos.

c) Un experimento de laboratorio en el cual se utilizan estímulos incondicionados, estímulos neutros y estímulos condicionados.

d) El proceso por el cual somos capaces de provocar una determinada respuesta en el individuo mediante la manipulación de los estímulos ambientales.

11. Uno de los puntos fundamentales de la teoría de Piaget es el hecho de considerar a la inteligencia activa. Esto quiere decir que:

a) Si proporcionamos al niño las experiencias adecuadas, a través de su propia actividad es capaz de aprender.

b) El niño es el receptor de las enseñanzas del profesor.

c) Solo la maduración biológica hace que vaya aumentando la inteligencia, encontrando sus propios cauces para progresar, por eso es activa.

d) La inteligencia, en la teoría de Piaget, no es activa. La actividad recae en el alumno que aprende y en el profesor que enseña.

12. La teoría de Piaget se centra sobre todo en:

a) El desarrollo de las emociones.

b) El desarrollo de la sexualidad infantil.

c) El desarrollo de los procesos mentales.

d) a y c son correctas.

13. Las etapas de desarrollo en la teoría piagetiana son las siguientes:

a) Periodo de las reacciones circulares, periodo intuitivo y periodo de las operaciones formales.

b) Periodo preoperatorio, periodo de las operaciones básicas y periodo de las operaciones complejas.

c) Periodo sensoriomotor, periodo de las operaciones básicas y periodo de las operaciones complejas.

d) Periodo sensoriomotor, periodo de las operaciones concretas y periodo de las operaciones formales.

14. El objeto de estudio de la psicología soviética lo constituyen:

a) Los procesos superiores de pensamiento.

b) La conducta observable del sujeto debida a estímulos externos.

c) La conducta observable del sujeto debida a estímulos internos.

d) a y c son correctas.

15. La teoría de Vigotsky es instrumental porque:

a) Los procesos mentales superiores requieren el uso de recursos internos o instrumentos de pensamiento.

b) Su teoría del desarrollo del lenguaje se inspira en las normas de composición musical e instrumental.

c) La inteligencia es el instrumento que utiliza el hombre para dominar y manejar el entorno en el que vive.

d) Porque realizó sus estudios sobre el desarrollo de los procesos mentales, con un grupo de alumnos del conservatorio superior de música de Moscú.

16. La teoría de Vigotsky concede gran importancia a la construcción social de las funciones psicológicas superiores. Esto quiere decir que:

a) La sociedad establece un ideal de funcionamiento psicológico y el alumno debe esforzarse por conseguirlo. Cuanto más se acerque a ese ideal, mejor será su rendimiento intelectual.

b) Dichas funciones se desarrollan a través de la interacción social del niño, bien con otros niños más competentes que él, bien con los adultos.

c) El adulto establece, teniendo en cuenta la edad cronológica del niño, el nivel de funcionamiento intelectual al que debe llegar el individuo.

d) El desarrollo intelectual óptimo solo es posible cuando el individuo vive en el seno de una comunidad soviética, ya que la teoría de Vigotsky está basada en las ideas marxistas.

17. La siguiente definición: "Es la distancia entre el nivel real de desarrollo, determinado por la capacidad de resolver independientemente un problema, y el nivel de desarrollo potencial, determinado a través de la resolución de un problema bajo la guía de un adulto o en colaboración con otro compañero más capaz", corresponde al concepto de:

a) Andamiaje.
b) Zona de desarrollo próximo.
c) Zona de desarrollo compartido.
d) a y b son correctas.

18. El concepto de andamiaje se lo debemos a:

a) Vigotsky.
b) Luria.
c) Bruner.
d) Piaget.

19. El desarrollo es un proceso de construcción dinámico. Esto quiere decir que:

a) Cuanto más activo sea el niño mayor será su grado de desarrollo.

b) Siguiendo la metáfora de la construcción que ha dado lugar al concepto de andamiaje, el profesor es el principal motor de desarrollo en los años escolares.

c) El niño aprende explorando y actuando sobre el medio, el cual a su vez produce un continuo cambio en el niño, lo que da lugar al desarrollo.

d) Durante los años preescolares el desarrollo está determinado exclusivamente por la genética y las características innatas del niño.

20. Podemos definir el desarrollo como:

a) Un proceso de adaptación al medio.
b) La capacidad intelectual del individuo.
c) Un proceso discontinuo, determinado por distintas etapas de desarrollo.
d) a y c son correctas.

21. El desarrollo es también un proceso global; esto quiere decir que:

a) Las distintas áreas siguen una evolución paralela, todas se desarrollan a la vez; aunque determinadas áreas tienen más peso en unas edades que en otras.

b) Ocurre por la interacción de muy variados factores; el niño nace con un potencial de aprendizaje y desarrollo determinados por la herencia genética, pero las condiciones ambientales pueden favorecer o dificultar el desarrollo.

c) Los distintos logros ocurren exactamente a la misma edad en todos los niños de una determinada cultura.

d) a y b son correctas.

22. El concepto de andamiaje, surgido de la psicología soviética, se relaciona con el hecho de que el desarrollo es:

a) Un proceso continuo.
b) Un proceso discontinuo.
c) Un proceso estático.
d) Un proceso no uniforme y discontinuo.

23. El desarrollo se caracteriza por ser un proceso no uniforme. Esto implica que:

a) Podemos dar la edad exacta a la que los niños conseguirán las diferentes habilidades, excepto en el caso de los niños superdotados.

b) Podemos dar la edad exacta a la que los niños conseguirán las diferentes habilidades, excepto en el caso de los niños con retraso mental.

c) Nunca podemos dar una fecha exacta para el logro de las distintas habilidades, tan solo podemos dar una edad aproximada.

d) a y b son correctas.

24. El desarrollo en los primeros tres años de vida se caracteriza por:

a) Producirse un crecimiento físico y desarrollo psicomotor, perceptivo e intelectual tan rápido como no va a suceder en ninguna de las etapas posteriores.

b) Predominar el crecimiento físico. El desarrollo intelectual no se producirá hasta los seis años, en que empiece la escolarización obligatoria.

c) La ausencia de desarrollo social.

d) a y c son correctas.

25. Siguiendo a Vigotsky, podemos considerar como proceso mental superior:

a) La escritura.
b) El habla.
c) La lectura.
d) a, b y c son correctas.

26. La etapa sensoriomotora descrita por Piaget abarca:

a) Desde el nacimiento al primer cumpleaños.
b) Desde el nacimiento a los dos años.
c) De uno a cuatro años de edad.
d) De cero a tres años.

27. El conductismo considera que el desarrollo del niño es producto de:

a) Su inteligencia.
b) Sus capacidades innatas.
c) Su experiencia.
d) b y c son correctas.

28. La teoría del desarrollo de Freud se enmarca dentro de una perspectiva:

a) Ambientalista.
b) Genética.
c) Interaccionista.
d) Adaptativa.

29. Está comúnmente aceptado que la edad a la que un niño comienza a caminar se sitúa en torno a los doce meses. Si un niño da sus primeros pasos a los 10 meses podemos decir que:

a) Sin lugar a dudas estamos ante un niño superdotado que superará a sus compañeros en todos los cursos durante su vida escolar.
b) Aunque un poco adelantado, está dentro de lo normal. Los niños presentan distintos ritmos de desarrollo.
c) Ha recibido un exceso de estimulación, poniendo en peligro su desarrollo óseo.
d) Caminar es uno de los logros más difíciles dentro del desarrollo motor, por lo que podemos concluir que su desarrollo motor siempre será más rápido que el del resto de sus compañeros.

30. Podemos citar como una de las características fundamentales del desarrollo en la edad infantil, que:

a) Es un proceso adaptativo.
b) Es un proceso estático.
c) Es un proceso no uniforme.
d) a y c son correctas.

Solución al test n.º 11

1. a) El orden en que se consiguen los diferentes logros es prácticamente igual para todos los niños. *(Ver epígrafe 1).*

2. b) Ofrecer un cuidado y atención adecuado al nivel de desarrollo de cada niño. *(Ver epígrafe 1).*

3. d) Psicología evolutiva. *(Ver epígrafe 1).*

4. b) La rama de la Psicología que estudia el desarrollo es una ciencia joven en la que aún conviven diversas teorías referidas a distintos aspectos del desarrollo, o al mismo aspecto, pero tratado según diferentes puntos de vista. *(Ver epígrafe 2).*

5. a) Piaget y Vigotsky. *(Ver epígrafe 2).*

6. c) La evolución del niño en etapas, la fijación y la regresión. *(Ver epígrafe 2.1).*

7. c) La etapa fálica o genital. *(Ver epígrafe 2.1).*

8. a) Watson. *(Ver epígrafe 2.2).*

9. c) El comportamiento observable. *(Ver epígrafe 2.2).*

10. d) El proceso por el cual somos capaces de provocar una determinada respuesta en el individuo mediante la manipulación de los estímulos ambientales. *(Ver epígrafe 2.2).*

11. a) Si proporcionamos al niño las experiencias adecuadas, a través de su propia actividad es capaz de aprender. *(Ver epígrafe 2.3).*

12. c) El desarrollo de los procesos mentales. *(Ver epígrafe 2.3).*

13. d) Periodo sensoriomotor, periodo de las operaciones concretas y periodo de las operaciones formales. *(Ver epígrafe 2.3).*

14. a) Los procesos superiores de pensamiento. *(Ver epígrafe 2.4).*

15. a) Los procesos mentales superiores requieren el uso de recursos internos o instrumentos de pensamiento. *(Ver epígrafe 2.4).*

16. b) Dichas funciones se desarrollan a través de la interacción social del niño, bien con otros niños más competentes que él, bien con los adultos. *(Ver epígrafe 2.4).*

17. b) Zona de desarrollo próximo. *(Ver epígrafe 2.4).*

18. c) Bruner. *(Ver epígrafe 2.4).*

19. c) El niño aprende explorando y actuando sobre el medio, el cual a su vez produce un continuo cambio en el niño, lo que da lugar al desarrollo. *(Ver epígrafe 3).*

20. a) Un proceso de adaptación al medio. *(Ver epígrafe 3).*

21. d) a y b son correctas. *(Ver epígrafe 3).*

22. a) Un proceso continuo. *(Ver epígrafe 3).*

23. c) Nunca podemos dar una fecha exacta para el logro de las distintas habilidades, tan solo podemos dar una edad aproximada. *(Ver epígrafe 3).*

24. a) Producirse un crecimiento físico y desarrollo psicomotor, perceptivo e intelectual tan rápido como no va a suceder en ninguna de las etapas posteriores. *(Ver epígrafe 3).*

25. d) a, b y c son correctas. *(Ver epígrafe 2.4).*

26. b) Desde el nacimiento a los dos años. *(Ver epígrafe 2.3).*

27. c) Su experiencia. *(Ver epígrafe 2.2).*

28. b) Genética. *(Ver epígrafe 2.1).*

29. b) Aunque un poco adelantado, está dentro de lo normal. Los niños presentan distintos ritmos de desarrollo. *(Ver epígrafe 1).*

30. d) a y c son correctas. *(Ver epígrafe 3).*

TEST N.º 12

Desarrollo del sistema sensorial y perceptivo

1. La forma primera y más sencilla de la interacción y conocimiento es:

a) La sensación.
b) La percepción.
c) La atención.
d) Ninguna de las anteriores.

2. Todos los siguientes son componentes de una sensación excepto:

a) Un componente fisiológico.
b) Un componente cognitivo.
c) Un componente físico.
d) Un componente psicológico.

3. Acerca de la sensación no es cierto que:

a) Las sensaciones son el punto de partida del conocimiento.
b) Se producen de forma aislada e independiente, relacionándose después con otras previas.
c) Cada sensación tiende a ser comparada y asociada con otras experiencias sensoriales pasadas.
d) La inteligencia se desarrolla a partir de informaciones sensoriales y exploraciones motrices desde los primeros meses.

4. Dentro de las sensaciones epicríticas distinguimos todas las siguientes, excepto:

a) Sensaciones Interoceptivas.
b) Sensaciones Propioceptivas.
c) Sensaciones Protopáticas.
d) Sensaciones Exteroceptivas.

5. A la capacidad de organizar los estímulos y sensaciones, y diferenciar unos objetos de otros se le denomina:

a) La sensación.
b) La atención.
c) La percepción.
d) Ninguna de las anteriores.

6. Todas las siguientes son etapas del proceso perceptivo excepto:

a) Información-sensación.
b) Conducción.
c) Excitación.
d) Atención.

7. Entre las dimensiones del proceso perceptivo no figura:

a) Cualidad.
b) Motivación.
c) Intensidad.
d) Tono afectivo.

8. El sistema visual consta de todos los siguientes elementos excepto:

a) Ojo.
b) Nervio Óptico.
c) Neurona de transmisión.
d) Córtex visual.

9. Acerca de otras modalidades sensoriales diferentes a la vista y el oído, no es cierto que:

a) No todas son funcionales en el momento del nacimiento.
b) La sensibilidad al sabor parece presente antes del nacimiento.
c) La sensibilidad cutánea se afina durante el transcurso de los primeros y semanas que siguen al nacimiento.
d) Los bebés prematuros como los nacidos a término reaccionan positivamente ante los estímulos dulces.

10. Todos los siguientes receptores forman parte del sistema somato-sensorial, excepto:

a) Los situados en músculos y tendones.
b) Los situados en las articulaciones.
c) Receptores vestibulares.
d) Sistemas reflejos.

11. Todas las siguientes son capacidades perceptivas relacionadas con la visión, excepto:

a) Intermodalidad de las percepciones.
b) Percepción de planos y distancias.
c) Percepción de la profundidad.
d) La discrepancia.

12. En relación con la visión en el recién nacido, no es cierto que:

a) Cuando fija la vista en un rostro, a veces se puede observar estrabismo, ya que no tienen buena coordinación de los músculos oculares.
b) El recién nacido ve con mayor nitidez los objetos situados a 20-25 cm.
c) Si se le acerca un objeto a la cara, no aparta la cabeza, lo que indica que no aprecia las distancias.
d) Frunce los párpados cuando cambia la luz en la habitación, o cuando se produce un ruido agudo.

13. Todas las siguientes son ciertas acerca de la visión del bebé a la edad de un mes, excepto:

a) Su mirada se carga de expresividad.
b) Mira los objetos que están en su campo.
c) Con 4 semanas fija su vista en un objeto que está cerca de él, y lo sigue hasta 90º.
d) Le atrae la luz, y dirige su mirada hacia la zona iluminada, pero el exceso de luz o de color le inquieta.

14. Identifique el enunciado incorrecto en relación a la visión de un bebé de dos meses:

a) Va estableciendo la convergencia binocular.
b) Si se le hecha en la cama sobre la espalda, puede seguir un objeto 180º.
c) Logra mantener su atención por más tiempo en los colores vivos, en las luces y objetos en movimiento y con contornos bien definidos.
d) Todavía no diferencia los rostros.

15. En las siguientes alternativas aparecen hitos madurativos del sistema visual asociados a una edad. Debe identificar el emparejamiento falso:

a) 3 meses: Descubre su cuerpo, sus manos, y se las mira a menudo.
b) 4 meses: Prefieren mirar al interior de las figuras.
c) 6 meses: Percepción de la profundidad.
d) 2 meses: Acomodación del cristalino.

16. Acerca de la percepción auditiva en el recién nacido no es cierto que:

a) Se inquieta y sobresalta ante ruidos fuertes.
b) La música suave y la voz del cuidador le tranquilizan.

c) Percibe sonidos y dirige su cabeza hacia la fuente sonora.
d) Prefiere la voz humana y los sonidos del lenguaje.

17. En las siguientes alternativas aparecen hitos madurativos del sistema auditivo asociados a una edad. Debe identificar el emparejamiento falso:

a) 1º mes: Afina su capacidad auditiva.
b) 2º mes: Reconoce voces familiares.
c) 3º mes: Diferencia la voz humana de otros sonidos.
d) 4º mes: Se fija en la persona que habla, empieza a distinguir los tonos de la voz, y es sensible a la música.

18. La discapacidad auditiva severa es la que se produce cuando hay una pérdida de:

a) 70 a 90 dB.
b) 50 a 70 dB.
c) 60 a 90 dB.
d) Todas son falsas.

19. En relación a la percepción olfativa una de las siguientes opciones no es correcta. ¿Sabe de cuál se trata?

a) Los neonatos discriminan olores y hacen muecas ante algunos de ellos.
b) Los neonatos no pueden identificar la localización de un olor.
c) Los recién nacidos parecen tener atracción por el olor de la leche del pecho.
d) Todas son ciertas.

20. Todas las siguientes forman parte de las expresiones faciales de los bebés ante determinados sabores excepto:

a) Al nacer no discriminan el sabor salado.
b) Relajan los músculos de la cara como respuesta a lo dulce.
c) Fruncen los labios cuando el sabor es agrio.
d) Abren la boca en forma de arco cuando es amargo.

21. Acerca de la percepción táctil y térmica en el recién nacido, no es cierto que:

a) Desde el nacimiento es capaz de regular y mantener su temperatura corporal.
b) Las reacciones a los cambios térmicos ya están presentes en el nacimiento.
c) Los recién nacidos son más sensibles a los estímulos más calientes que su temperatura corporal, que a los que son más fríos.
d) Los bebés son sensibles a la presión y al dolor.

22. Acerca de la educación sensorial señale el enunciado incorrecto:

a) A través de las sensaciones se llega a los conceptos y a las definiciones de las cosas.
b) La actividad cerebral no depende de los estímulos sensoriales.

c) La educación sensorial se lleva a cabo por medio de las actividades sensoriales propiamente dichas.

d) La educación sensorial se puede llevar a cabo por medio de la observación de situaciones o acontecimientos de la vida cotidiana.

23. En relación a la metodología de la educación sensorial una de las siguientes afirmaciones no es correcta. ¿Puede indicar cuál?

a) Empezar por los aspectos más claramente perceptibles o destacables del objeto.

b) Partir de las cosas conocidas o próximas del entorno.

c) Priorizar los aspectos más desconocidos y lejanos, como forma de suscitar curiosidad y estimulación.

d) El lenguaje tiene un papel fundamental, ya que existe una estrecha relación entre el desarrollo de la expresión verbal y la comprensión del mundo exterior.

24. El programa de estimulación sensorial de Condemarín distingue tres ámbitos de intervención. Identifique el que no se corresponde a dicho programa:

a) Percepción táctil.

b) Percepción háptica.

c) Percepción visual.

d) Percepción auditiva.

25. En el programa de educación sensorial de Gimeno se contemplan una serie de niveles o grados. ¿Sabes cuántos son?

a) 3

b) 4

c) 5

d) No hay niveles en dicho programa

26. El Proyecto Portage de estimulación precoz se realiza:

a) En el hogar.

b) En un centro de estimulación precoz.

c) En combinación hogar y centro de estimulación precoz.

d) No tiene estipuladas condiciones ni lugar de realización.

Solución al test n.º 12

1. a) La sensación. *(Ver epígrafe 2.1).*

2. b) Un componente cognitivo. *(Ver epígrafe 2.1).*

3. b) Se producen de forma aislada e independiente, relacionándose después con otras previas. *(Ver epígrafe 2.1).*

4. c) Sensaciones protopáticas. *(Ver epígrafe 2.1).*

5. c) La percepción. *(Ver epígrafe 2.2).*

6. d) Atención. *(Ver epígrafe 2.2).*

7. b) Motivación. *(Ver epígrafe 2.2).*

8. c) Neurona de transmisión. *(Ver epígrafe 2.3).*

9. a) No todas son funcionales en el momento del nacimiento. *(Ver epígrafe 2.3).*

10. d) Sistemas reflejos. *(Ver epígrafe 2.3).*

11. b) Percepción de planos y distancias. *(Ver epígrafe 3.1).*

12. c) Si se le acerca un objeto a la cara, no aparta la cabeza, lo que indica que no aprecia las distancias. *(Ver epígrafe 3.1).*

13. a) Su mirada se carga de expresividad. *(Ver epígrafe 3.1).*

14. d) Todavía no diferencia los rostros. *(Ver epígrafe 3.1).*

15. d) 2 meses: Acomodación del cristalino. *(Ver epígrafe 3.1).*

16. c) Percibe sonidos y dirige su cabeza hacia la fuente sonora. *(Ver epígrafe 3.2).*

17. d) 4º mes: Se fija en la persona que habla, empieza a distinguir los tonos de la voz, y es sensible a la música. *(Ver epígrafe 3.2).*

18. a) 70 a 90 dB. *(Ver epígrafe 3.2).*

19. b) Los neonatos no pueden identificar la localización de un olor. *(Ver epígrafe 3.3).*

20. a) Al nacer no discriminan el sabor salado. *(Ver epígrafe 3.4).*

21. c) Los recién nacidos son más sensibles a los estímulos más calientes que su temperatura corporal, que a los que son más fríos. *(Ver epígrafe 3.5/3.6).*

22. b) La actividad cerebral no depende de los estímulos sensoriales. *(Ver epígrafe 4.1).*

23. c) Priorizar los aspectos más desconocidos y lejanos, como forma de suscitar curiosidad y estimulación. *(Ver epígrafe 4.2).*

24. a) Percepción táctil. *(Ver epígrafe 4.2).*

25. b) 4. *(Ver epígrafe 4.2).*

26. a) En el hogar. *(Ver epígrafe 4.2).*

TEST N.º 13

Desarrollo cognitivo

1. Acerca del desarrollo cognitivo en la infancia señale la opción incorrecta:

a) En la etapa de Educación Infantil la inteligencia se torna pensamiento gracias a la función simbólica del lenguaje.

b) El desarrollo cognitivo se produce en los primeros momentos a través de la acción y de la manipulación.

c) Las capacidades cognitivas son parte independiente del desarrollo general del sujeto que evoluciona de forma paralela a otros ámbitos.

d) Todas son ciertas.

2. Dentro de las perspectivas desde las que se han abordado definiciones de inteligencia podemos diferenciar todas las siguientes, excepto:

a) La psicología diferencial, de carácter psicométrico, trata de medir y explicar las diferencias entre las personas y fundamentar la elaboración de diagnósticos y pronósticos.

b) La psicología experimental, se ocupa del pensamiento y de la solución de problemas, las leyes generales cognoscitivas y el comportamiento inteligente.

c) La psicología genética, estudia los procesos de constitución y desarrollo del ser humano.

d) La psicología clínica, estudia las alteraciones y dificultades en el desarrollo cognitivo.

3. Entre las categorías en las que divide la inteligencia Gardner no se encuentra:

a) Inteligencia contextual-práctica.

b) Inteligencia musical.

c) Inteligencia lógica-matemática.

d) Inteligencia corporal – kinestésica.

4. En 1985 Robert J. Sternberg estableció tres categorías para describir la inteligencia, entre las que no figura:

a) Inteligencia emocional: caracterizada por la capacidad de empatizar, de ser asertivo y socialmente competente.

b) Inteligencia componencial-analítica: la habilidad para adquirir y almacenar información.

c) Inteligencia experiencial-creativa: habilidad fundada en la experiencia para seleccionar, codificar, combinar y comparar información.

d) Inteligencia contextual-práctica: relacionada con la conducta adaptativa al mundo real.

5. Atendiendo a la siguiente definición de inteligencia: "la capacidad de adquirir conocimiento o entendimiento y de utilizarlo en situaciones novedosas", podríamos afirmar todo lo siguiente excepto:

a) Esta definición permite que podamos medir la inteligencia según el éxito en superar situaciones específicas y novedosas.

b) La medida cualitativa suele inferirse a partir de medir habilidades valoradas independiente o resolución de problemas que combinan varias de esas habilidades.

c) Es la capacidad de adaptarse al ambiente, según la información que se recibe, en función de un fin que nos proponemos.

d) La inteligencia es una capacidad global que sería un factor común de muchas aptitudes diferenciadas.

6. Acerca de la atención como factor de la capacidad o aptitud intelectual, podemos afirmar todo lo siguiente excepto:

a) La atención es un fenómeno único y aislable que interviene en el conocimiento.

b) La atención es entendida como el mecanismo que controla y regula los procesos cognitivos; desde el aprendizaje por condicionamiento hasta el razonamiento complejo.

c) La atención puede considerarse como una cualidad de la percepción que hace referencia a la función de la atención como filtro de los estímulos ambientales.

d) La atención es la capacidad de aplicar voluntariamente el entendimiento a un objetivo, tenerlo en cuenta o en consideración.

7. Todas las siguientes son variables ambientales que posibilitan o dificultan la atención excepto:

a) Repetición.
b) Tamaño.
c) Interés.
d) Organización estructural.

8. Entre las variables individuales que condicionan los procesos atencionales podemos citar todas las siguientes excepto:

a) Sugestión social.
b) Emoción.
c) Estado orgánico.
d) Potencia del estímulo.

9. Todas las siguientes son tipologías de la atención excepto:

a) Atención activa y voluntaria.
b) Atención inconsciente.
c) Atención activa e involuntaria.
d) Atención pasiva.

10. ¿Cuál de los siguientes emparejamientos entre las perturbaciones atencionales no se corresponde con su definición?

a) Hipoprosexia: disminución de la capacidad atentiva.
b) Hiperprosexia: hiperactividad de la atención, característica de trastornos con ideas delirantes.
c) Paraprosexia: concentración excesiva en la vida interior del individuo, característica de sujetos deprimidos.
d) Aprosexia: atención dispersa, desconcentrada o falta de entrenamiento.

11. Todos los siguientes son representantes de las teorías ambientalistas del desarrollo cognitivo excepto:

a) Descartes.
b) Locke.
c) Hume.
d) Bandura.

12. Un conjunto de elementos mutuamente dependientes, que en contacto con el medio y a través de las experiencias va modificándose, incorporando las variaciones fruto de las experiencias es:

a) Esquema.
b) Estructura.
c) Reversibilidad.
d) Adaptación.

13. Señale el emparejamiento incorrecto:

a) Adaptación: intercambio del organismo con su medio, con modificación de ambos para producir el equilibrio.
b) Asimilación: comprensión de un proceso tras la experimentación activa.
c) Acomodación: modificación del organismo, desencadenada por efectos del medio, que tiene como fin incrementar la capacidad de asimilación del organismo y en definitiva de la adaptación.
d) Todos son correctos.

14. Acerca de los planteamientos teóricos básicos de Vigotsky, no es cierto que:

a) La construcción del psiquismo, que va de lo social a lo individual.
b) El niño aprende a usar el lenguaje en la comunicación con los otros después de ser capaz de utilizarlo para la reflexión.

c) El desarrollo del niño no transcurre de forma regular; unos periodos son de cambio relativamente lento y gradual, mientras en otros, el cambio se produce de forma rápida y brusca.
d) Todas son ciertas.

15. La distancia entre el nivel real de desarrollo, terminado por la capacidad de resolver independientemente un problema y el nivel de desarrollo potencial determinado a través de la resolución de un problema bajo la guía de un adulto o en colaboración con otro compañero más capaz, se denomina:

a) Mediación social.
b) Mediación instrumental.
c) Zona de desarrollo próximo.
d) Zona de desarrollo potencial.

16. Acerca de los planteamientos teóricos de Piaget, señale el enunciado incorrecto:

a) Las etapas del desarrollo intelectual pueden explicarse basándose en los conceptos de desarrollo biológico y evolución que subyacen en sus teorías.
b) El desarrollo infantil sigue una serie de etapas con un orden invariable.
c) Se interesa fundamentalmente por el proceso de construcción de estructuras mentales.
d) El proceso de construcción del conocimiento está mediado por el exterior y es individual.

17. El máximo representante de la teoría del procesamiento de la información es:

a) Bruner.
b) Gagne.
c) Ausubel.
d) Brofenbrenner.

18. ¿Cuál de los siguientes constituye uno de los principios básicos del modelo ecológico?

a) La interacción entre las personas y su medio como base de continuo proceso de aprendizaje.
b) Los distintos contextos de los que participa el sujeto y de sus relaciones entre ellos.
c) Las percepciones, creencias, pensamientos y actitudes, que, si bien no son directamente observables, son reveladoras de la naturaleza de los integrantes del aula.
d) Todas son ciertas.

19. Para Bronfenbrenner todos los aspectos del entorno, tanto físico como social, se configuran como un sistema global del cual forma parte el sujeto. ¿Cuál de los siguientes no constituye un nivel de análisis?

a) Microsistema.
b) Mesosistema.
c) Endosistema.
d) Macrosistema.

20. Las siguientes opciones expresan los diferentes estadios del desarrollo según Piaget. Señale el que contienen un error:

a) 0 a 18-24 meses: etapa sensomotora.
b) 2 a 6/7 años: estadio preoperacional.
c) 7 a 12 años: operaciones concretas.
d) 12 a en adelante: operaciones complejas.

21. Todas las siguientes son manifestaciones del pensamiento preconceptual excepto:

a) Imitación diferida y juego simbólico.
b) Imágenes mentales.
c) Comprensión de la causalidad.
d) Intencionalidad.

22. A continuación se muestran una serie de características vinculadas a la inteligencia sensoriomotora o preoperacional. Identifique el emparejamiento en el que la característica y el periodo no se corresponden:

a) Preoperacional: considerar simultáneamente diferentes acontecimientos y situaciones.
b) Sensoriomotora: satisfacción práctica.
c) Sensoriomotora: las experiencias se pueden compartir.
d) Preoperacional: mediación sobre la realidad.

23. Entre los aspectos positivos y grandes avances del pensamiento preoperacional cabe citar todos los siguientes, excepto:

a) Adquisición de algunas invariantes cualitativas.
b) Capacidad de apreciar la relación o covariación que hay entre dos sucesos.
c) Mayor capacidad de educabilidad, entrenamiento y evaluación.
d) Todas son ciertas.

24. En relación a la memoria como proceso cognitivo, señale el enunciado falso:

a) La memoria es el proceso cognitivo mediante el cual los organismos codifican, almacenan y recuperan información.
b) No existe un único lugar físico para la memoria en nuestro cerebro.
c) Los lóbulos frontales se dedican a organizar la percepción y el pensamiento.
d) Muchos de nuestros automatismos están almacenados en el bulbo raquídeo.

25. ¿Cuál de los siguientes no es un tipo de memoria?

a) La memoria mecánica es aquella en la que se almacena información sobre hechos.
b) La memoria procedimental sirve para almacenar información acerca de procedimientos y estrategias que permiten interactuar con el medio ambiente.

c) La memoria vital de carácter visual-emocional.

d) La memoria genética, que contendría toda la información genética (filogénesis) a transmitir a los descendientes.

26. El conocimiento de la realidad es un proceso cambiante y dinámico, en continua reinterpretación a medida que se obtienen nuevos datos, se experimentan nuevas situaciones y, simultáneamente, se avanza en la capacidad de organizarlos. Puede llevarse a cabo de todas las siguientes formas excepto:

a) A través de la atención.

b) A través de la memoria.

c) A través del razonamiento en la interpretación de la realidad.

d) A través de la resolución de problemas.

27. Todos los siguientes son modalidades de esquemas para representar el funcionamiento del mundo en el periodo sensoriomotor, excepto:

a) Esquemas de persona, que incluyen información sobre las características personales de los otros y de sí mismo.

b) Esquemas de reflejos.

c) Esquemas de roles: que las personas o grupos pueden desempeñar.

d) Scripts o guiones que especifican una secuencia de acciones conectadas casual y temporalmente que se produce en un contexto social determinado.

28. Todos los siguientes son logros adquiridos al final de la etapa sensoriomotriz, excepto:

a) La lógica inductiva.

b) La permanencia de los objetos.

c) El principio de causalidad.

d) El control del espacio circundante.

29. Todas las siguientes afirmaciones son ciertas en relación con el periodo preoperacional excepto una. ¿Sabe indicar de cuál se trata?

a) Adquisición del lenguaje va a posibilitar una capacidad de simbolización.

b) Adquisición del autoconcepto o identidad categorial.

c) Los conocimientos adquiridos en el plano de la acción serán reconstruidos a nivel representativo.

d) La capacidad simbólica posibilita la adquisición de conceptos.

30. Todos los siguientes que se mencionan son formas de conocimiento de la realidad en el periodo preoperacional, excepto:

a) Experimentación y la resolución de problemas prácticos.

b) Escolarización.

c) Interpretaciones de la naturaleza.
d) Conocimiento del mundo social.

31. Desde una perspectiva sociogenética, el psicólogo francés H. Wallon afirma que el desarrollo no es lineal sino rítmico y distingue tres leyes. ¿Cuál de las siguientes no corresponde a las mencionadas leyes?

a) Ley de la alternancia: se alternan periodos de predominio de factores cognitivos con otros de predominio emotivo.
b) Ley de la experimentación: la interacción con el mundo circundante constituye una de las condiciones básicas del desarrollo, junto con la maduración.
c) Ley de la preponderancia: en cada estadio predominan unas capacidades sobre otras.
d) Ley de la mediación (síntesis de las anteriores): hay mediación mutua entre funciones cualitativamente distintas.

32. ¿Cuál de los siguientes no es un estadio del desarrollo según H. Wallon?

a) Estadio impulsivo-emocional.
b) Estadio sensorio-motor.
c) Estadio socio-afectivo.
d) Estadio del personalismo.

33. ¿Cuál de los siguientes no constituye un principio en la observación sistemática?

a) Globalización.
b) Sistematización.
c) Experimentación.
d) Comunicación.

34. Acerca del proceso de experimentación, señale el enunciado incorrecto:

a) Mediante la experimentación se establecen relaciones, se plantean comprobaciones o puestas en práctica, que enriquecen y objetivan la percepción y el aprendizaje.
b) La experimentación al principio tiene para el niño un carácter exploratorio, pero poco a poco con la ayuda del educador se va haciendo más sistemática.
c) Consiste en utilizar las observaciones primarias para realizar observaciones más profundas y llegar así a un conocimiento más objetivo y práctico.
d) La experimentación siempre debe ser guiada por el educador.

Solución al test n.º 13

1. c) Las capacidades cognitivas son parte independiente del desarrollo general del sujeto que evoluciona de forma paralela a otros ámbitos. *(Ver epígrafe 1).*

2. d) La psicología clínica: estudia las alteraciones y dificultades en el desarrollo cognitivo. *(Ver epígrafe 2.1).*

3. a) Inteligencia contextual-práctica. *(Ver epígrafe 2.1).*

4. a) Inteligencia emocional: caracterizada por la capacidad de empatizar, de ser asertivo y socialmente competente. *(Ver epígrafe 2.1).*

5. b) La medida cualitativa suele inferirse a partir de medir habilidades valoradas independiente o resolución de problemas que combinan varias de esas habilidades. *(Ver epígrafe 2.1).*

6. a) La atención es un fenómeno único y aislable que interviene en el conocimiento. *(Ver epígrafe 2.2).*

7. c) Interés. *(Ver epígrafe 2.2).*

8. d) Potencia del estímulo. *(Ver epígrafe 2.2).*

9. b) Atención inconsciente. *(Ver epígrafe 2.2).*

10. d) Aprosexia: Atención dispersa, desconcentrada o falta de entrenamiento. *(Ver epígrafe 2.2).*

11. a) Descartes. *(Ver epígrafe 3).*

12. a) Esquema. *(Ver epígrafe 3.1).*

13. b) Asimilación: comprensión de un proceso tras la experimentación activa. *(Ver epígrafe 3.1).*

14. b) El niño aprende a usar el lenguaje en la comunicación con los otros después de ser capaz de utilizarlo para la reflexión. *(Ver epígrafe 3.2).*

15. c) Zona de desarrollo próximo. *(Ver epígrafe 3.2).*

16. d) El proceso de construcción del conocimiento está mediado por el exterior y es individual. *(Ver epígrafe 3.1).*

17. b) Gagne. *(Ver epígrafe 3.3).*

18. d) Todas son ciertas. *(Ver epígrafe 3.4).*

19. c) Endosistema. *(Ver epígrafe 3.4).*

20. d) 12 a en adelante: operaciones complejas. *(Ver epígrafe 4).*

21. d) Intencionalidad. *(Ver epígrafe 4.2).*

22. c) Sensoriomotora: las experiencias se pueden compartir. *(Ver epígrafe 4.1/4.2).*

23. d) Todas son ciertas. *(Ver epígrafe 4.2).*

24. d) Muchos de nuestros automatismos están almacenados en el bulbo raquídeo. *(Ver epígrafe 2.3).*

25. a) La memoria mecánica es aquella en la que se almacena información sobre hechos. *(Ver epígrafe 2.3).*

26. c) A través del razonamiento en la interpretación de la realidad. *(Ver epígrafe 5.1).*

27. b) Esquemas de reflejos. *(Ver epígrafe 5.1).*

28. a) La lógica inductiva. *(Ver epígrafe 5.1).*

29. d) La capacidad simbólica posibilita la adquisición de conceptos. *(Ver epígrafe 5.1).*

30. b) Escolarización. *(Ver epígrafe 5.1).*

31. b) Ley de la experimentación: la interacción con el mundo circundante constituye una de las condiciones básicas del desarrollo, junto con la maduración. *(Ver epígrafe 6.1).*

32. c) Estadio socio-afectivo. *(Ver epígrafe 6.1).*

33. c) Experimentación. *(Ver epígrafe 6.2).*

34. d) La experimentación siempre debe ser guiada por el educador. *(Ver epígrafe 6.2).*

TEST N.º 14

Desarrollo motor

1. Entre las variables que influyen en el desarrollo motor se encuentran todas las siguientes excepto:

a) El cociente intelectual.
b) Las diferencias sexuales, raciales y socioeconómicas.
c) La prematuridad.
d) La sobreprotección.

2. ¿Cuál de las siguientes no es una ley del desarrollo motor?

a) Ley de actividades en masa a las específicas.
b) Principio de la simetría funcional.
c) Ley de desarrollo de flexores y extensores.
d) Principio de fluctuación autorreguladora.

3. Una respuesta de carácter automático e involuntario que se da ante una estimulación, es un acto:

a) Reflejo.
b) Voluntario.
c) Automático.
d) Mecánico.

4. Dentro de los llamados reflejos arcaicos no se encuentra:

a) Babinski.
b) Moro.
c) Succión.
d) Hozamiento.

5. El reflejo que consiste en extender los dedos del pie como en abanico cuando se estimula la planta se llama:

a) Moro.
b) Babinski.

c) Marcha.
d) Hozamiento.

6. En las etapas de adquisición del automatismo de la prensión, identificar la alternativa incorrecta:

a) 1ª etapa: Desde el nacimiento hasta el cuarto mes. Aparece primero la conducta refleja de prensión.
b) 2ª etapa: del 4º al 6º mes. En este momento ya se da una coordinación entre visual y el espacio táctil.
c) 3ª etapa: del 6º al 9º mes. El niño ya es capaz de coger el objeto deseado y desarrollar conductas exploratorias complejas.
d) 4ª etapa: Aprendizajes manipulativas como coger la cuchara, usar colores o abrochar.

7. El automatismo de la locomoción sigue la ley:

a) De movimientos en masa a movimientos específicos.
b) Próximo-caudal.
c) Céfalo-caudal.
d) Próximo-distal.

8. Las habilidades básicas de control postural son todas las siguientes excepto:

a) Control muscular de la cabeza y cuello.
b) Girar el cuerpo sobre sí mismo.
c) Mantenerse sentado solo.
d) Marcha.

9. Acerca de los hitos de la evolución en la motricidad gráfica no es cierto que:

a) 18 meses: Realiza trazos en forma de garabatos; con un movimiento impulsivo y rápido, sin control, se mueve todo el brazo y no hay coordinación visual y manual.
b) 20 meses: Entra en juego la articulación del codo.
c) A partir de los 2 años y medio: Mayor control de la muñeca y el movimiento de pinza.
d) Hacia el cuarto año se empieza a establecer la coordinación óculo manual y entra en juego la percepción.

10. Las variables a planificar en relación al entrenamiento de la motricidad gráfica son todas las siguientes excepto:

a) Superficie o soporte donde se ejecuta el trazo.
b) Tamaño del soporte.
c) Instrumento con el que se realiza el trazo.
d) Textura de la superficie y color del trazo.

11. En la primera etapa del desarrollo motor, que tiene lugar durante los 6 primeros meses, pueden afirmarse todas las consideraciones siguientes excepto:

a) En este periodo la motricidad es básicamente refleja.
b) En el primer trimestre de la vida el niño adquiere la movilidad en sus doce músculos oculomotores.
c) A los cinco meses se coloca en posición decúbito y generalmente puede rodar sobre su espalda, estirar la mano y tratar de asir un objeto.
d) Logra el gobierno de los músculos que sostienen la cabeza y mueve los brazos y manos.

12. En la segunda etapa del desarrollo motor, que tiene lugar durante los 7-9 meses, pueden afirmarse todas las consideraciones siguientes, excepto:

a) Consiguen el dominio del tronco y los dedos.
b) Han aprendido a sentarse y una vez que se los coloca en una posición, gatean y se arrastran.
c) Si se les apoya sobre sus pies suelen poder sostenerse.
d) Lo que caracteriza a esta etapa es la postura de sedestación.

13. En la tercera etapa del desarrollo motor, que tiene lugar durante los 2-3 años, pueden afirmarse todas las consideraciones siguientes, excepto:

a) Adquiere el control de esfínteres.
b) Camina y corre con soltura.
c) Puede pedalear un triciclo, usar patines y patinete.
d) Puede sostenerse en breves momentos sobre una pierna.

14. En la quinta etapa del desarrollo motor, que tiene lugar durante los 4-6 años, pueden afirmarse todas las consideraciones siguientes, excepto:

a) Al cuarto año ha avanzado mucho en la independencia motriz.
b) Al quinto año posee un control muscular fino bastante desarrollado.
c) Al sexto año coordina con cierta facilidad los diversos grupos musculares lo que le permite el aumento de precisión en los movimientos.
d) Todas son ciertas.

15. Una de las actividades que puede ayudar a la motricidad gráfica es el:

a) Rasgado.
b) Coloreado.
c) Ensartado.
d) Todas son correctas.

16. La falta tensión o fuerza muscular se denomina:

a) Tono muscular.
b) Hipertonía.
c) Hipotonía.
d) Hipotensión.

17. ¿Cuáles son los dos automatismos básicos en el desarrollo?

a) Prensión y locomoción.
b) Reflejo de Moro y reflejo de succión.
c) Locomocion y pensamiento.
d) Pensamiento y memoria.

18. El reflejo de Babinski consiste en:

a) Sostenido al bebé por las axilas si estimulamos el empeine con una superficie dura y fría efectuará un movimiento como de subida de escalón.
b) Si introducimos al bebe en un medio acuático realiza un movimiento rítmico y coordinado semejante al nado.
c) Extender los dedos del pie como en abanico cuando se estimula la planta.
d) Si excitamos las comisuras de la boca gira la cabeza para chupar el estímulo.

19. En relación al control de la cabeza y del cuello no es cierto que:

a) Con un mes eleva un poco el mentón y gira la cabeza para apoyarla sobre el otro lado de la cara
b) Levantar la cabeza entre 45 y 90º cuando está boca abajo lo conseguirá hacia los 3 meses.
c) El recién nacido puede girar la cabeza hacia ambos lados estando boca arriba.
d) Levantar la cabeza cuando está boca arriba hacia el 4º mes.

20. ¿Cuál de los siguientes hitos del desplazamiento no se produce a la edad indicada?

a) Saltar: 18 meses.
b) Gateo: Hacia los 9-10 meses.
c) Correr: Hacia los 17 meses.
d) Coordinación contralateral de brazos y piernas: Hacia los 8 meses.

21. Según la teoría psicobiológica de Wallon ¿qué estadio se desarrolla entre los 2-3 años?

a) Estadio impulsivo.
b) Estadio sensomotor.
c) Estadio proyectivo.
d) Estadio personalismo.

22. ¿Cuál de las siguientes actividades es menos apropada para el desarrollo del equilibrio?

a) Subir o bajar por escaleras o planos inclinados.
b) Caminar sobre una línea trazada en el suelo progresivamente más fina.
c) Pollito inglés.
d) Juegos de reconocimiento de posiciones con el cuerpo: ponte arriba, dentro...

23. ¿Qué actividad podemos utilizar para favorecer el desarrollo de la locomoción?

a) Apoyar al niño sobre el vientre y llamar su atención hablando, o con algún objeto, para que levante la cabeza.
b) Promocionarle juguetes de arrastre.
c) Darle cajas grandes para entrar y salir.
d) Todas son correctas.

Solución al test n.º 14

1. b) Las diferencias sexuales, raciales y socioeconómicas. *(Ver epígrafe 2).*

2. b) Principio de la simetría funcional. *(Ver epígrafe 2).*

3. a) Reflejo. *(Ver epígrafe 2).*

4. c) Succión. *(Ver epígrafe 2.1.1).*

5. b) Babinski. *(Ver epígrafe 2.1.1).*

6. c) 3ª etapa: del 6º al 9º mes. El niño ya es capaz de coger el objeto deseado y desarrollar conductas exploratorias complejas. *(Ver epígrafe 2.1.2).*

7. c) Céfalo-caudal. *(Ver epígrafe 2.1.2).*

8. d) Marcha. *(Ver epígrafe 2.1.2).*

9. d) Hacia el cuarto año se empieza a establecer la coordinación óculo manual y entra en juego la percepción. *(Ver epígrafe 2.1.3).*

10. d) Textura de la superficie y color del trazo. *(Ver epígrafe 2.1.3).*

11. c) A los cinco meses se coloca en posición decúbito y generalmente puede rodar sobre su espalda, estirar la mano y tratar de asir un objeto. *(Ver epígrafe 2.2).*

12. d) Lo que caracteriza a esta etapa es la postura de sedestación. *(Ver epígrafe 2.2).*

13. c) Puede pedalear un triciclo, usar patines y patinete. *(Ver epígrafe 2.2).*

14. d) Todas son ciertas. *(Ver epígrafe 2.2).*

15. d) Todas son correctas. *(Ver epígrafe 2.1.3).*

16. c) Hipotonía. *(Ver epígrafe 2.1.2).*

17. a) Prensión y locomoción. *(Ver epígrafe 2.1.2).*

18. c) Extender los dedos del pie como en abanico cuando se estimula la planta. *(Ver epígrafe 2.1.1).*

19. d) Levantar la cabeza cuando está boca arriba hacia el 4º mes. *(Ver epígrafe 2.1.2).*

20. a) Saltar: 18 meses. *(Ver epígrafe 2.2).*

21. c) Estadio proyectivo. *(Ver epígrafe 2.3).*

22. d) Juegos de reconocimiento de posiciones con el cuerpo: ponte arriba, dentro. *(Ver epígrafe 3.1).*

23. d) Todas son correctas. *(Ver epígrafe 3.1).*

TEST N.º 15

Desarrollo de las habilidades de comunicación y lenguaje

1. Acerca del concepto de lenguaje no es cierto que:

a) Es una representación interna de la realidad construida a través de un medio de comunicación aceptado socialmente.

b) El lenguaje, es probablemente la capacidad más específicamente humana, aunque hay especies animales que utilizan un lenguaje en su comunicación.

c) El lenguaje es necesario para relacionarnos con los demás, interpretar la realidad, categorizarla, analizarla y adquirir conocimiento sobre ella, así como para la regulación del comportamiento.

d) Todas son ciertas.

2. Un acto comunicativo en el que la acción dirigida a un receptor puede ser interpretada por él y actuar en consecuencia es:

a) Lenguaje.

b) Comunicación.

c) Habla.

d) Relación.

3. Acerca de las consideraciones de Chomsky sobre el lenguaje no es cierto que:

a) Los rasgos comunes a todas las lenguas los llamó universales lingüísticos.

b) El lenguaje es una capacidad exclusivamente humana que separa al hombre de las demás especies animales.

c) Los universales lingüísticos forman parte del código genético de los humanos.

d) La adquisición del lenguaje sería un proceso de desplegamiento de capacidades socialmente desencadenadas.

4. En relación al lenguaje, y según la postura de Piaget, señale el enunciado incorrecto:

a) La posibilidad de emplear y combinar palabras responde a la aparición de una capacidad previa: la función semiótica.

b) Existe a una capacidad cognitiva general de la cual el lenguaje es expresión.

c) Para que el niño sea capaz de desarrollar el lenguaje es necesario una capacidad cognitiva general.
d) Para que el niño pueda utilizar el lenguaje es preciso que sea capaz de utilizar los símbolos.

5. La consideración de la existencia de un dispositivo de adquisición del lenguaje (LAD) que permite a todo ser humano desarrollar estructuras gramaticales de su lengua a partir de una gramática innata y universal, es una afirmación de la teoría:

a) Conductista.
b) Generativa Transformacional.
c) Cognitiva.
d) Ninguna de las anteriores.

6. Acerca de la relación existente entre lenguaje y pensamiento, la teoría del determinismo lingüístico defiende que:

a) Pensamiento depende de lenguaje.
b) Pensamiento es lenguaje.
c) Lenguaje depende de pensamiento.
d) Relativismo lingüístico.

7. Acerca de la relación existente entre lenguaje y pensamiento, la teoría que defiende la existencia del LAD es:

a) Determinismo lingüístico.
b) Conductismo.
c) Innatista.
d) Determinismo cognitivo.

8. Entre los procesos fundamentales que intervienen en la adquisición y desarrollo del lenguaje no se encuentra:

a) Imitación.
b) Condicionamiento.
c) Genética.
d) Maduración.

9. ¿Cuál de los siguientes emparejamientos acerca de las funciones del lenguaje según Holliday no es correcta?

a) Función reguladora: Establecer relaciones sociales.
b) Función heurística: Para obtener información, preguntar.
c) Función informativa: Para transmitir información.
d) Función instrumental: Satisfacción de necesidades.

10. En relación al desarrollo fonológico en el niño señale el enunciado incorrecto:

a) Los primeros fonemas en adquirirse son de tipo vocálico, oclusivo y nasal (p,t,b,d,k,g m,n,ñ).

b) Los fonemas se adquieren unos en relación con otros modificando, cada nueva adquisición, la totalidad del sistema fonológico anteriormente adquirido.

c) Es un desarrollo que abarca desde los 6 meses hasta los 4 años.

d) La aparición de los sonidos de la lengua se realiza en un orden que varía ligeramente de un niño e otro, sin embargo, el ritmo de adquisición suele ser bastante variable.

11. Cuando un niño pronuncia "peta" en lugar de puerta, desde el punto de vista fonológico está realizando un proceso de:

a) Asimilación.

b) Sustitución.

c) Simplificación.

d) Elipsis.

12. Acerca del desarrollo semántico del niño, ¿puede identificar la opción errónea?

a) Las primeras palabras que produce el niño ocurren entre los 12-18 meses.

b) La sobreextensión se refiere al uso de varias palabras con un significado.

c) Entre los 2 y los 6 años el incremento del vocabulario es sorprendente.

d) La organización semántica alude fundamentalmente a tres aspectos lingüísticos: el aumento del léxico o vocabulario, su estructuración en determinadas categorías y el establecimiento de relaciones significativas entre las palabras.

13. En relación al desarrollo morfosintáctico del niño, no es cierto que:

a) La palabra-frase normalmente se da desde los 10 a 14 meses.

b) De los 18 a los 24 meses aparecen las primeras combinaciones de dos palabras.

c) A partir de los 30 meses el niño consigue la estructura básica de la frase: Sujeto-Verbo- Objeto.

d) Hacia el final del segundo año de vida (20-24 meses) aparecen las primeras flexiones en forma de marcas de plural (-s) y de género (-o, -a).

14. Acerca del desarrollo pragmático de niño, ¿puede identificar el enunciado incorrecto sobre la función protoimperativa?

a) La primera función comunicativa que aparece en el desarrollo evolutivo es la protoimperativa.

b) La función protoimperativa es prelingüística.

c) La finalidad de la función protoimperativa es establecer relaciones sociales.

d) La función protodeclarativa es anterior a la protoimperativa.

15. Uno de los siguientes emparejamientos acerca de la edad y la habilidad lingüística no es correcta. ¿Sabe de cuál se trata?

a) 4 meses: Vocalización social.
b) 2 meses: Atención a la voz y ruidos familiares.
c) 6 meses: Etapa del laleo.
d) 9 meses: Articula sílabas como "ca" "ba" "de".

16. Uno de los siguientes emparejamientos acerca de la edad y la habilidad lingüística no es correcta. ¿Sabe de cuál se trata?

a) 15 meses: Utiliza unas diez palabras.
b) 18 meses: Primeras combinaciones de dos palabras.
c) 12 meses: Reclama objetos mediante gestos y sonidos.
d) 21 meses: Vocabulario alrededor de 20 palabras.

17. ¿Cuál de las siguientes habilidades lingüísticas no es propia de los dos años y medio?

a) Dice su nombre completo.
b) Frases sin nexos: Habla telegráfica.
c) Expresión: indica el uso de los objetos.
d) Vocabulario: Entre 900 y 1200 palabras.

18. ¿Cuál de las siguientes habilidades lingüísticas es propia de 4 años?

a) Empieza a controlar el singular y plural.
b) Empleo del tiempo verbal futuro.
c) Usa conjunciones y entiende preposiciones.
d) Tendencia a hacer preguntas que den una salida del egocentrismo a la socialización.

19. En relación a la evolución de la comprensión, no es cierto que:

a) Hacia el año entiende órdenes simples: "toma", "dame".
b) Alrededor de los dos años señala partes de su cara.
c) Hacia el quinto mes emite "pucheros" ante gestos de desaprobación.
d) Sobre los tres años comprende conceptos y enunciados largos.

20. Según Wolf todos los siguientes son modelos y variantes del llanto excepto uno. ¿Puede indicarlo?

a) Llanto de soledad.
b) Llanto rabioso.
c) Modelo básico.
d) Llanto de dolor.

21. En relación al orden en que se produce la organización fonética del niño, señale la alternativa incorrecta:

a) Grupo inicial: /p/, /b/, /m/ y /t/.
b) Primer grupo de diferenciación: /l/, /n/, /ñ/, /d/, /j/, /k/, /g/.
c) Segundo grupo de diferenciación: /s/, /f/, /ch/ y /ll/.
d) Tercer grupo de diferenciación: /r/ y /rr/.

22. Entre los 3 y 4 años, los niños manejan un número aproximado de palabras:

a) De 500 a 1000 palabras.
b) De 1000 a 1500 palabras.
c) De 1600 a 2000 palabras.
d) Hasta 3000 palabras.

23. Señala la respuesta incorrecta en relación con los siguientes trastornos de la articulación:

a) Dislalia fisiológica: el niño confunde fonemas debido a una deficiente discriminación auditiva.

b) Disartria: es un trastorno de la expresión verbal causado por una alteración en el control muscular de los mecanismos del habla debido a una alteración neurológica localizada en las vías nerviosas del habla.

c) Disglosia: se debe a lesiones orgánicas en los órganos periféricos de fonación (labios, paladar, lengua, dientes, paladar).

d) Rinolalia: es una malformación de las fosas nasales (vegetaciones, tabique nasal desviado o deformado...) que produce una pérdida de aire por la nariz impidiendo la correcta pronunciación.

Solución al test n.º 15

1. b) El lenguaje, es probablemente la capacidad más específicamente humana, aunque hay especies animales que utilizan un lenguaje en su comunicación. *(Ver epígrafe 1/2).*

2. b) Comunicación. *(Ver epígrafe 1).*

3. d) La adquisición del lenguaje sería un proceso de desplegamiento de capacidades socialmente desencadenadas. *(Ver epígrafe 2).*

4. a) La posibilidad de emplear y combinar palabras responde a la aparición de una capacidad previa: la función semiótica. *(Ver epígrafe 2).*

5. b) Generativa Transformacional. *(Ver epígrafe 3.2).*

6. a) Pensamiento depende de lenguaje. *(Ver epígrafe 4).*

7. c) Innatista. *(Ver epígrafe 4).*

8. c) Genética. *(Ver epígrafe 5).*

9. a) Función reguladora: Establecer relaciones sociales. *(Ver epígrafe 5).*

10. c) Es un desarrollo que abarca desde los 6 meses hasta los 4 años. *(Ver epígrafe 5.1).*

11. c) Simplificación. *(Ver epígrafe 5.1).*

12. b) La sobreextensión se refiere al uso de varias palabras con un significado. *(Ver epígrafe 5.1).*

13. a) La palabra-frase normalmente se da desde los 10 a 14 meses. *(Ver epígrafe 5.1).*

14. d) La función protodeclarativa es anterior a la protoimperativa. *(Ver epígrafe 5.1).*

15. c) 6 meses: Etapa del laleo. *(Ver epígrafe 5.1).*

16. a) 15 meses: Utiliza unas diez palabras. *(Ver epígrafe 5.1).*

17. d) Vocabulario: Entre 900 y 1200 palabras. *(Ver epígrafe 5.1).*

18. c) Usa conjunciones y entiende preposiciones. *(Ver epígrafe 5.1).*

19. c) Hacia el quinto mes emite "pucheros" ante gestos de desaprobación. *(Ver epígrafe 5.1).*

20. a) Llanto de soledad. *(Ver epígrafe 5.1).*

21. d) Tercer grupo de diferenciación: /r/ y /rr/. *(Ver epígrafe 5.1).*

22. b) De 1000 a 1500 palabras. *(Ver epígrafe 5.1).*

23. a) Dislalia fisiológica: El niño confunde fonemas debido a una deficiente discriminación auditiva. *(Ver epígrafe 7.2.1).*

TEST N.º 16

Desarrollo afectivo y emocional

1. ¿Cuál de las siguientes no es una de las características de las emociones en los niños?

a) Breves.
b) Diferentes.
c) Se descubren por los síntomas de conducta.
d) Mantienen sus formas de expresión con la evolución.

2. La vida afectiva cumple tres funciones básicas importantes (Arribas, T. L., 1990). ¿Cuál de las siguientes no lo es?

a) Función de signo.
b) Función social.
c) Función de valoración de las situaciones.
d) Función energética.

3. Según Thomas y Chess (1997), ¿cuál de las siguientes no es una variable constitucional en el comportamiento del neonato?

a) Características fisiológicas.
b) Tiempo que una respuesta tarda en alcanzar su nivel máximo.
c) Sensibilidad del niño ante niveles de estimulación bajos.
d) Magnitud, intensidad o nivel máximo de respuesta.

4. Según la teoría del desarrollo afectivo de Rene Spitz ¿cuál es el primer organizador?

a) La sonrisa.
b) La angustia.
c) El no.
d) El juego.

5. ¿Cuál de las siguientes no es una etapa del desarrollo afectivo según René Spitz?

a) Pre-objetal.
b) Objeto precursor.
c) Objeto real.
d) Objeto representado.

6. Según la Teoría del Desarrollo Psicosocial de Erik Erikson ¿qué estadio empieza desde los 18 meses y se prolonga hasta los 3 años de vida del niño?

a) Confianza vs Desconfianza.
b) Autonomía vs Vergüenza y duda.
c) Iniciativa vs Culpa.
d) Exploración de la Identidad vs Difusión de Identidad.

7. Señale la afirmación correcta sobre las rabietas en los niños:

a) Tienen un momento evolutivo en torno a los 2-3 años (periodo de oposición) en el que son naturales.
b) Han de ser abordadas con naturalidad y paciencia, siendo fundamental que el niño no consiga el objeto de la rabieta porque esto podría ser reforzante y consolidar la rabieta como forma de satisfacción de deseos.
c) Si las rabietas perduran en el tiempo o son desmesuradas en intensidad, hay que pensar en patrones educativos inadecuados, modelos agresivos.
d) Todas son correctas.

8. ¿Qué autor psicoanalista introduce la noción de objeto transicional?

a) Freud.
b) Winnicott.
c) Adler.
d) Jung.

9. Indique cuál de las siguientes situaciones NO es un buen criterio educativo para la correcta formación del apego:

a) Los padres deben ser coherentes en sus conductas con el niño.
b) Es preferible la existencia de una sola figura de apego.
c) Los padres deben recurrir a formas inductivas de disciplina.
d) Los padres deben ser accesibles a sus hijos.

10. Los niños que buscan la proximidad de la figura primaria de apego y al mismo tiempo se resisten a ser tranquilizados por ella, mostrando agresión hacia la madre, tienen un tipo de apego:

a) Seguro.
b) Ansioso-evitante.
c) Ansioso-ambivalente.
d) Inseguro.

11. El apego es un vínculo afectivo que establece el niño con las personas que interactúan con él de forma privilegiada y está caracterizado por todo lo siguiente, excepto:

a) Aspectos sociales.
b) Conductas.
c) Representaciones mentales.
d) Sentimientos.

12. Según López (1984, 1886), todas las siguientes son características del apego excepto:

a) Asimétricas.
b) Rítmicas.
c) Íntimas.
d) Formalizadas.

13. El niño discrimina claramente entre unas personas y otras y acepta mejor las atenciones y cuidados de los que habitualmente lo hacen. Los niños tienen numerosas conductas que demuestran que quieren ser tocados, mecidos... por personas conocidas; ¿en cuál de los siguientes momentos evolutivos?

a) Dos primeros meses de vida.
b) Entre el segundo y sexto mes.
c) Entre el sexto y octavo mes.
d) A partir del año.

14. Según John Bowlby, todas las siguientes son fases en el desarrollo del apego excepto:

a) Orientación y señales sin discriminación de figura: seguir figuras, o voces sin discriminarlas.

b) Orientación y señales dirigidas hacia una o más figuras discriminadas (3-6 meses). Dirige predominantemente hacia la figura materna.

c) Mantenimiento de la proximidad hacia una figura discriminada tanto por medio de locomoción como de señales (desde 6-7 meses hasta 2-3 años). El niño trata a la gente de forma discriminada.

d) Formación de una asociación con adaptación al sujeto: a partir de 3 años, la figura materna llega a concebirse como un "objeto" independiente aunque persisten manifestaciones de apego.

15. ¿Cuál de los siguientes no es un tipo de apego según la clasificación de Ainsworth?

a) Apego seguro.
b) Apego inseguro
c) Apego ansioso-evitante.
d) Apego ansioso-ambivalente.

16. ¿A qué tipo de apego se corresponden estas conductas?

- En presencia de la madre: exploración baja o nula del entorno.
- En ausencia de la madre: ansiedad por la separación muy intensa.
- Al regreso de la madre: buscan y procuran mantener la proximidad con la figura de apego. Después muestran oposición.

a) Apego seguro.
b) Apego inseguro.
c) Apego ansioso-evitante.
d) Apego ansioso-ambivalente.

17. Según Bowlby (1985; 1998), en las separaciones prolongadas los niños atraviesan las fases siguientes, excepto:

a) Protesta.
b) Angustia.
c) Ambivalencia.
d) Adaptación.

18. Main y Cassidy (1988) concuerdan al hablar de tres tipos básicos de niños, en cuanto al apego :

a) El tipo A (evitante), el tipo B (seguro) y C (ambivalente).
b) El tipo A (seguro), el tipo B (inseguro) y C (evitativo).
c) El tipo A (inseguro), el tipo B (seguro) y C (ambivalente).
d) El tipo A (evitante), el tipo B (adaptativo) y C (ambivalente).

19. Entre las posibles causas por las que los niños son tímidos, no se encuentra:

a) Dificultad al ser expuestos a nuevas situaciones.
b) Herencia.
c) Padres inconsistentes.
d) Estilos educativos ambivalentes.

20. Todas las siguientes son posibles repercusiones negativas de la timidez, excepto:

a) Dificultad para establecer vínculos sociales.
b) Problemas escolares.
c) Indefensión.
d) Todos lo son.

21. Entre las directrices educativas para la intervención en la timidez no se encuentra:

a) Permitir que los niños se aíslen de los demás.
b) No hablar por los niños tímidos.
c) Elogiar el comportamiento sin timidez y el progreso.
d) Fomentar y enseñar responsabilidad e independencia.

22. Todas las siguientes son vías de aprendizaje de miedos excepto:

a) Asociación directa.
b) Imitación.
c) Inducción cognitiva.
d) Inducción ambiental

23. Acerca de los celos, no es cierto que:

a) Son una forma de miedo.
b) Siempre tienen un fundamento imaginario basado en la inseguridad y amenaza.
c) Generalmente en la infancia los generan los hermanos.
d) Todas son ciertas.

Solución al test n.º 16

1. d) Mantienen sus formas de expresión con la evolución. *(Ver epígrafe 2.1).*

2. b) Función social. *(Ver epígrafe 2.1).*

3. a) Características fisiológicas. *(Ver epígrafe 2.1).*

4. a) La sonrisa. *(Ver epígrafe 2.2.2).*

5. d) Objeto representado. *(Ver epígrafe 2.2.2).*

6. b) Autonomía vs Vergüenza y duda. *(Ver epígrafe 2.2.3).*

7. d) Todas son correctas. *(Ver epígrafe 2.3.11).*

8. b) Winnicott. *(Ver epígrafe 2.3.2).*

9. b) Es preferible la existencia de una sola figura de apego. *(Ver epígrafe 2.3.1).*

10. c) Ansioso-ambivalente. *(Ver epígrafe 2.3.1).*

11. a) Aspectos sociales. *(Ver epígrafe 2.3.1).*

12. d) Formalizadas. *(Ver epígrafe 2.3.1).*

13. b) Entre el segundo y sexto mes. *(Ver epígrafe 2.3.1).*

14. d) Formación de una asociación con adaptación al sujeto: a partir de 3 años, la figura materna llega a concebirse como un "objeto" independiente aunque persisten manifestaciones de apego. *(Ver epígrafe 2.3.1).*

15. b) Apego inseguro. *(Ver epígrafe 2.3.1).*

16. c) Apego ansioso-evitante. *(Ver epígrafe 2.3.1).*

17. b) Angustia. *(Ver epígrafe 2.3.1).*

18. a) El tipo A (evitante), el tipo B (seguro) y C (ambivalente). *(Ver epígrafe 2.3.1).*

19. d) Estilos educativos ambivalentes. *(Ver epígrafe 2.3.8).*

20. d) Todos lo son. *(Ver epígrafe 2.3.8).*

21. a) Permitir que los niños se aíslen de los demás. *(Ver epígrafe 2.3.8).*

22. c) Inducción cognitiva. *(Ver epígrafe 2.3.9).*

23. b) Siempre tienen un fundamento imaginario basado en la inseguridad y amenaza. *(Ver epígrafe 2.3.10).*

TEST N.º 17

Desarrollo moral

1. El primer psicólogo evolutivo que se preocupó por el estudio del desarrollo moral fue:

a) Vigotsky.
b) Piaget.
c) Kohlberg.
d) Bandura.

2. La siguiente definición: "la concepción que tiene la persona sobre lo que está bien y lo que está mal"; se refiere al concepto de:

a) Juicio moral.
b) Sentimientos morales.
c) Conducta moral.
d) Conducta prosocial.

3. Entre los factores que influyen en el desarrollo moral, podemos citar:

a) El desarrollo cognitivo.
b) El desarrollo motor.
c) El desarrollo físico.
d) Todas son correctas.

4. El niño desarrolla comportamientos más adecuados moralmente cuando el estilo educativo de los padres se basa en:

a) El castigo ante el mal comportamiento.
b) La severidad para enseñar lo moralmente aceptable.
c) El amplio uso de la alabanza ante los comportamientos aceptados y las explicaciones y razonamientos para el control de la disciplina.
d) a y b son correctas.

5. Las formulaciones psicoanalíticas sobre el desarrollo moral se encuadran dentro de la línea de investigación:

a) Desarrollo moral como proceso de internalización de normas.
b) Posición constructivista.
c) Perspectiva conductista.
d) Concepción actual.

6. El principal representante de la teoría del aprendizaje social es:

a) Vigotsky.
b) Piaget.
c) Kohlberg.
d) Bandura.

7. Según la teoría del aprendizaje social, el método del que se vale el individuo para establecer sus conductas morales es:

a) El sujeto construye su propia moral elaborando juicios universales sobre lo bueno y lo malo.
b) El aprendizaje observacional.
c) No se vale de ningún método, pues evolutivamente el niño va pasando por diversas etapas morales.
d) a y b son correctas.

8. Entre los principales representantes de la posición constructivista podemos citar:

a) Bandura.
b) Vigotsky.
c) Kohlberg.
d) Freud.

9. Según Piaget, en la primera fase del desarrollo de la moral:

a) El niño evalúa la responsabilidad en función de los resultados y no de la intención.
b) El niño ha aprendido a situarse en la perspectiva del otro.
c) El niño considera que está bien aquello que también lo está para el adulto.
d) a y c son correctas.

10. Siguiendo a Piaget, el desarrollo de una moral autónoma se ve favorecido por:

a) Los aspectos sociales.
b) Las relaciones sociales, especialmente entre iguales.
c) a y b son correctas.
d) Ninguna de las anteriores.

11. Según Kohlberg, los niños menores de seis años:

a) Entienden perfectamente las normas de comportamiento.
b) Aprenden algunas normas sobre cómo comportarse, pero no entienden su significado.
c) Todavía no son capaces de seguir unas normas de comportamiento.
d) Han elegido ya sus propios valores morales y actúan en consecuencia.

12. Según Kagan, una de las fuentes de las que el niño extrae información para elaborar sus propios principios morales es la aprobación/desaprobación de los adultos sobre sus propias conductas. El niño es capaz de inferir las causas de los hechos a la edad de:

a) 12 meses.
b) 18 meses.
c) 24 meses.
d) 30 meses.

13. Según Kagan, a los 4 años el niño:

a) Acepta las normas paternas para evitar el castigo.
b) No acepta las normas paternas porque todavía no distingue entre lo que está bien y lo que está mal.
c) No acepta las normas paternas porque existe una tendencia a enfrentarse a los padres.
d) Acepta las normas paternas por el deseo de identificarse con ellos.

14. La definición: "los actos voluntarios que se realizan con el fin de producir un resultado positivo en otros sin que exista un beneficio inmediato para su autor", se corresponde con el concepto de:

a) Conducta prosocial.
b) Juicio moral.
c) Convención social.
d) Conducta moral.

15. Para que se dé la conducta prosocial son necesarios dos mecanismos:

a) Empatía e imitación de modelos altruistas.
b) Empatía y juicio moral.
c) Juicio moral e imitación de modelos altruistas.
d) Convenciones sociales y juicio moral.

16. Los niños tienden a imitar la conducta altruista de:

a) Los niños de menor edad que ellos.
b) Personas de distinto sexo al suyo.
c) Las personas con cierto prestigio para el niño.
d) Aquellas personas que presentan una actitud distante.

17. Podemos definir el juicio moral como:

a) Los actos voluntarios que se realizan con el fin de producir un resultado positivo en otros sin que exista un beneficio inmediato para su autor.
b) La percepción de los sentimientos, pensamientos e intenciones del otro.
c) El conjunto de reglas, normas y formas de actuar propias de una determinada sociedad.
d) El acto mental mediante el que calificamos un comportamiento o situación como bueno o malo.

18. El estadio 1 del desarrollo del juicio moral propuesto por Kohlberg se caracteriza por:

a) La moralidad heterónoma.
b) El deseo de mantener las reglas.
c) El placer que proporciona el hecho de cumplir las leyes.
d) El deseo de contribuir a la sociedad.

19. El deseo de comportarse como los demás esperan que lo hagamos y la necesidad de "quedar bien" surge, según Kohlberg:

a) En los primeros meses de vida del bebé.
b) En la infancia.
c) En la adolescencia.
d) En la edad adulta.

20. Las convenciones sociales pueden definirse como:

a) Los actos voluntarios que se realizan con el fin de producir un resultado positivo en otros sin que exista un beneficio inmediato para su autor.
b) La percepción de los sentimientos, pensamientos e intenciones del otro.
c) El conjunto de reglas, normas y formas de actuar propias de una determinada sociedad.
d) El acto mental mediante el que calificamos un comportamiento o situación como bueno o malo.

Solución al test n.º 17

1. b) Piaget. (*Ver epígrafe 1*).

2. a) Juicio moral. (*Ver epígrafe 1*).

3. a) El desarrollo cognitivo. (*Ver epígrafe 1*).

4. c) El amplio uso de la alabanza ante los comportamientos aceptados y las explicaciones y razonamientos para el control de la disciplina. (*Ver epígrafe 1*).

5. a) Desarrollo moral como proceso de internalización de normas. (*Ver epígrafe 2.1*).

6. d) Bandura. (*Ver epígrafe 2.1*).

7. b) El aprendizaje observacional. (*Ver epígrafe 2.1*).

8. c) Kohlberg. (*Ver epígrafe 2.2*).

9. d) a y c son correctas. (*Ver epígrafe 2.2*).

10. c) a y b son correctas. (*Ver epígrafe 2.2*).

11. b) Aprenden algunas normas sobre cómo comportarse, pero no entienden su significado. (*Ver epígrafe 2.2*).

12. b) 18 meses. (*Ver epígrafe 2.3*).

13. d) Acepta las normas paternas por el deseo de identificarse con ellos. (*Ver epígrafe 2.3*).

14. a) Conducta prosocial. (*Ver epígrafe 3*).

15. a) Empatía e imitación de modelos altruistas. (*Ver epígrafe 3*).

16. c) Las personas con cierto prestigio para el niño. (*Ver epígrafe 3.2*).

17. d) El acto mental mediante el que calificamos un comportamiento o situación como bueno o malo. (*Ver epígrafe 4*).

18. a) La moralidad heterónoma. (*Ver epígrafe 4*).

19. c) En la adolescencia. (*Ver epígrafe 4*).

20. c) El conjunto de reglas, normas y formas de actuar propias de una determinada sociedad. (*Ver epígrafe 5*).

TEST N.º 18

Desarrollo social

1. En la clasificación evolutiva de los estadios de Piaget, el estadio de "la elección de objeto", dentro de las manifestaciones afectivas elementales se corresponde al:

a) Estadio 1.
b) Estadio 2.
c) Estadio 3.
d) Estadio 4.

2. En la clasificación evolutiva de Wallon, ¿en qué estadio acontece lo que se describe a continuación:" Lo más significativo es la búsqueda de la independencia y el enriquecimiento del yo comenzando con la crisis de oposición y luego de imitación; habla ya en primera persona y utiliza los pronombres adecuadamente"?

a) Emocional.
b) Sensorio-motor y proyectivo.
c) Personalismo.
d) Socialización.

3. ¿Cuál de las siguientes no es una ley del desarrollo según Wallon?

a) Ley de la alternancia.
b) Ley cefalo-caudal.
c) Ley de la preponderancia.
d) Ley de la mediación.

4. ¿Cuál de las siguientes afirmaciones acerca del psicoanálisis es incorrecta?

a) Esta sexualidad en los primeros años es pregenital, autoerótica, no persigue aún una relación interpersonal a través de los genitales.
b) Uno de los conflictos centrales en la infancia es el de Edipo (Electra en su versión femenina).
c) Habla también del complejo de Caín, rivalidad entre hermanos.
d) Las fases se suceden, se superan sin superponerse como estadios independientes.

5. ¿Cuál de las siguientes no es una de las etapas del desarrollo social de Osterrieth?

a) Juego paralelo.
b) Actividad solitaria.
c) Juego asociativo.
d) Juego proyectivo.

6. ¿Cuál de los enunciados siguientes en relación a las aportaciones de Bowbly no es correcto?

a) Pertenece a corrientes cognitivistas.
b) Pertenece a corrientes etológicas.
c) Concibe el vínculo afectivo que desarrolla el bebé con su madre como el resultado de un conjunto de pautas de conducta características, en parte preprogramadas.
d) Todas son ciertas.

7. Todas las siguientes son dimensiones del autoconcepto excepto:

a) Identidad categorial.
b) Identidad sexual.
c) Identidad personal.
d) Identidad social.

8. Según Félix López, los procesos de socialización son todos los siguientes excepto:

a) Procesos mentales: adquisición de conocimientos.
b) Procesos afectivos: formación de vínculos.
c) Procesos conductuales: conformación social de la conducta.
d) Todos lo son

9. Todos los siguientes son factores determinantes de las prácticas educativas de los padres, excepto:

a) Factores socio-culturales: tradiciones, cultura.
b) Factores relacionados con el niño: edad, sexo, orden de nacimiento, características de personalidad.
c) Factores debidos a los padres: sexo, experiencias previas (como hijos y como padres), características de personalidad, nivel educativo. Otros factores de naturaleza más mediadora y cognitiva tienen que ver con ideas sobre el proceso evolutivo y la educación, expectativas de logro, nivel de estudios.
d) Factores relacionados con la situación en que se lleva a cabo la interacción: características físicas de la vivienda, contexto histórico.

10. Respecto a los modelos educativos familiares, Hidalgo/Moreno/Palacios publicaron en agosto de 1996 (Revista Infancia) todos los siguientes excepto:

a) Los modelos modernos.
b) Los modelos tradicionales.

c) Los modelos eclécticos.
d) Los modelos paradójicos.

11. ¿Cuál de las siguientes afirmaciones acerca del apego no es correcta?

a) Se trata de una preorientación a buscar y preferir estímulos sociales y una necesidad de vínculos afectivos con miembros de su especie.
b) Este vínculo afectivo se forma durante el primer año de vida.
c) Este primer afecto desempeña un papel fundamental en el posterior desarrollo socio-afectivo.
d) Se desarrolla siempre con la madre.

12. Todos los siguientes son sistemas y mecanismos de los que la familia se sirve para ejercer sus funciones excepto:

a) Sistemas de interacciones.
b) Sistemas de modelos.
c) Sistemas económicos.
d) Sistemas de indentificación afectiva.

13. Todas las siguientes pueden considerarse tipos de influencia que la familia ejerce sobre el niño excepto:

a) Influencias ecológicas.
b) Influencias hereditarias.
c) Influencias educativas.
d) Influencias económicas.

14. Acerca del papel de los hermanos en el proceso de socialización, no es correcto:

a) Las experiencias que propician los hermanos dependen del tipo de familia
b) Los hermanos establecen y mantienen normas, se erigen en modelos y proporcionan consejos
c) Las relaciones están condicionadas por la edad, el sexo, el número de hermanos, la afinidad afectiva, la autoridad otorgada por los padres y el tipo educativo de la familia.
d) Los hermanaos desempeñan roles complementarios entre sí.

15. Acerca del papel socializador de la escuela, señale el enunciado incorrecto:

a) La educación sirve a fines individuales en un contexto social.
b) La escuela es un importante subsistema que oscila dentro del contexto y sistema global de la sociedad, es ampliamente dependiente del sistema social; sin embargo, no sólo es la sociedad la que influye en la escuela, sino que las interacciones se dan en varios sentidos.
c) El contenido de las actividades familiares es significativo y de consecuencias prácticas inmediatas; el de la escuela está referida la realidad futura y tiene sentido a largo plazo.
d) Cada sociedad tiene unas demandas específicas acerca de lo que espera de la escuela.

16. Todas las siguientes son circunstancias que condicionan el papel socializador de la escuela excepto:

a) Estabilidad normativa y curricular.
b) Justicia distributiva.
c) Neutralidad afectiva.
d) Igualdad entre pares.

17. Para Vega (1989) todos los siguientes son efectos de los compañeros sobre el desarrollo social del niño, excepto:

a) Los compañeros informan sobre aquellos comportamientos que son pertinentes en diferentes situaciones, sobre determinados tipos de relación.
b) Niños y niñas refuerzan y castigan las aproximaciones y desviaciones a los roles tradicionales a su sexo, lo que contribuye a la identificación y tipificación sexual.
c) No se encuentra correlación entre las relaciones con los compañeros y la vulnerabilidad emocional en la edad adulta.
d) En el contexto social de los compañeros el niño aprende habilidades agresivas y eficaces, así como un control de sus impulsos agresivos.

18. Según López (1990), el desarrollo social implica una serie de procesos mentales que llevarán al niño a la socialización; cobran una especial relevancia entre los 0 y 3 años. En la evolución de este proceso, señale el que no corresponde al periodo de 18 a 24 meses:

a) Elección de ropas apropiadas a su sexo.
b) No conocen la norma social o no la comprenden (lo que da lugar a rabietas).
c) Uso de los pronombres.
d) Todos lo son.

19. Según De la Torre (1991), ¿cuál de los siguientes no es un objetivo de socialización de la escuela del primer ciclo de Educación Infantil?

a) Facilitar el abandono progresivo del egocentrismo.
b) Ampliar las áreas de estimulación del niño, tanto en la familia como en la escuela.
c) Adecuar la interacción adulto-niño a la problemática individual.
d) Optimizar las relaciones afectivas del niño con su familia, aumentando las interacciones, cambiando actitudes negativas.

20. Para López (1990), las manifestaciones de los vínculos afectivos que van a propiciar la socialización son todos los siguientes, excepto:

a) Conducta visual.
b) Contacto directo.
c) Conductas comunicativas con gestos, lenguaje verbal y gestual.
d) Contacto familiar.

Solución al test n.º 18

1. c) Estadio 3. *(Ver epígrafe 2.1).*

2. c) Personalismo. *(Ver epígrafe 2.1).*

3. b) Ley cefalo-caudal. *(Ver epígrafe 2.1).*

4. d) Las fases se suceden, se superan sin superponerse como estadios independientes. *(Ver epígrafe 2.1).*

5. d) Juego proyectivo. *(Ver epígrafe 2.1).*

6. a) Pertenece a corrientes cognitivistas. *(Ver epígrafe 2.1).*

7. d) Identidad social. *(Ver epígrafe 2.2).*

8. d) Todos lo son. *(Ver epígrafe 2.3).*

9. a) Factores socio-culturales: tradiciones, cultura. *(Ver epígrafe 3.1).*

10. c) Los modelos eclécticos. *(Ver epígrafe 3.1).*

11. d) Se desarrolla siempre con la madre. *(Ver epígrafe 2.2).*

12. c) Sistemas económicos. *(Ver epígrafe 3.1).*

13. a) Influencias ecológicas. *(Ver epígrafe 3.1).*

14. c) Las relaciones están condicionadas por la edad, el sexo, el número de hermanos, la afinidad afectiva, la autoridad otorgada por los padres y el tipo educativo de la familia. *(Ver epígrafe 3.1).*

15. a) La educación sirve a fines individuales en un contexto social. *(Ver epígrafe 3.2).*

16. a) Estabilidad normativa y curricular. *(Ver epígrafe 3.2).*

17. c) No se encuentra correlación entre las relaciones con los compañeros y la vulnerabilidad emocional en la edad adulta. *(Ver epígrafe 3.3).*

18. d) Todos lo son. *(Ver epígrafe 2.3).*

19. a) Facilitar el abandono progresivo del egocentrismo. *(Ver epígrafe 3.2).*

20. d) Contacto familiar. *(Ver epígrafe 2.3).*

Bloque Temático III: Salud Infantil

Índice de test

TEST N.º 19

La fecundación. El embarazo. Cromosomopatías

1. La principal función de la gonadotropina coriónica es:

a) Mantener al feto en una temperatura constante.
b) Colaborar en la dilatación del cuello uterino durante el parto.
c) Participar en la regulación de las contracciones uterinas sobre el feto.
d) Prevenir la involución normal del útero que tiene lugar al final del ciclo menstrual.

2. ¿En qué etapa del desarrollo embrionario podemos decir que el feto ya cuenta con grandes posibilidades de sobrevivir?

a) Séptimo mes.
b) Tercer mes.
c) Quinto mes.
d) Sexto mes.

3. Entre los signos de probabilidad de embarazo se encuentra el signo de Chadwick. ¿A qué cambio experimentado por la mujer se le denomina así?

a) Cuello uterino blando.
b) Aumento del tamaño del útero.
c) Aumento de la secreción vaginal.
d) Tono violáceo que adquiere la vagina y el cuello uterino.

4. La preeclampsia viene determinada por la aparición de tres signos. Uno de los que a continuación aparecen no es cierto. Señale cuál:

a) Edema.
b) Linfocitosis con desviación a la izquierda.
c) Albuminuria.
d) Hipertensión arterial.

5. ¿Cuál de las siguientes anomalías es una monosomía?

a) Síndrome de Klinefelter.
b) Síndrome de Edward.
c) Síndrome de Turner.
d) Síndrome de Down.

6. De los siguientes síndromes, ¿cuál es debido a una anomalía en el número de cromosomas?

a) Síndrome de "Maullido del gato".
b) Síndrome de Patau.
c) Síndrome de Turner.
d) Síndrome de Klinefelter.

7. ¿Cómo se denomina al proceso de fijación del blastocito a la capa endometrial del útero?

a) Fecundación.
b) Embarazo.
c) Gravidez.
d) Nidación.

8. ¿Cuál de las siguientes hormonas no es segregada por la placenta?

a) Aldosterona.
b) Estrógenos.
c) Progesterona.
d) Gonadotropina coriónica.

9. ¿En qué mes del desarrollo embrionario comienza a ponerse en marcha el sistema glandular?

a) Sexto mes.
b) Cuarto mes.
c) Séptimo mes.
d) Segundo mes.

10. ¿A las cuántas semanas puede comentar la mujer que percibe el fenómeno que denominamos "vivificación"?

a) Sobre las 18 – 20 semanas.
b) Sobre las 6 – 8 semanas.
c) Sobre las 22 – 24 semanas.
d) Sobre las 12 – 14 semanas.

11. A las contracciones uterinas indoloras que experimenta la mujer a medida que crece el útero se las conoce como:

a) Signo de Hegar.
b) Signo de Braxton Hicks.
c) Signo de Goodell.
d) Signo de Pinard.

12. Entre los cambios acaecidos en el aparato respiratorio con el embarazo no se encuentra:

a) Hipoventilación.
b) Elevación del diafragma.
c) Congestión nasal.
d) Epistaxis.

13. Entre los cambios acaecidos en el sistema endocrino con el embarazo no se encuentra:

a) Aumento de las hormonas paratiroideas.
b) Aumento de cortisol.
c) Incremento de la demanda insulínica.
d) Disminución de la hipófisis.

14. El aporte calórico recomendado a una embarazada por día es de:

a) 1500 – 2000 kcal.
b) 2000 – 2400 kcal.
c) 2400 – 2800 kcal.
d) 1400 – 1800 kcal.

15. ¿A partir de qué cifras de tensión arterial podemos considerarlo un signo de alarma de la preeclampsia?

a) 140 / 90 mm Hg.
b) 180 / 100 mm Hg.
c) 150 / 100 mm Hg.
d) 165 / 95 mm Hg.

16. ¿Qué término se emplea para designar a las patologías que tienen lugar durante el tercer trimestre del embarazo?

a) Toxemias.
b) Gestosis.
c) Eclampsia.
d) Eutocias.

17. ¿Cuál de los siguientes signos va a caracterizar la aparición de la eclampsia?

a) Oliguria.
b) Convulsiones.
c) Intensificación de los edemas.
d) Cefaleas.

18. ¿Cuál es el principal componente del líquido amniótico?

a) Sangre.
b) Agua.
c) Bilirrubina.
d) Oxitocina.

19. Señale cuál no es una función de la placenta:

a) Función nutritiva.
b) Función de eliminación.
c) Función de glándula exocrina.
d) Función de respiración.

20. El período embrionario abarca:

a) Desde la concepción hasta los primeros 28 días.
b) Desde la concepción hasta las primeras 12 semanas.
c) Desde la concepción hasta las primeras 6 semanas.
d) Desde la concepción hasta las primeras 8 semanas.

21. Desde el punto de vista médico-legal, ¿a partir de qué mes el feto es considerado como un ser vivo?

a) Sexto mes del desarrollo embrionario.
b) Octavo mes del desarrollo embrionario.
c) Cuarto mes del desarrollo embrionario.
d) Quinto mes del desarrollo embrionario.

22. Cuando de una embarazada decimos que padece lo que se conoce como "enfermedad matutina", nos estamos refiriendo a:

a) Mastodinia.
b) Estados nauseosos.
c) Alteraciones emotivas y psíquicas.
d) Irritabilidad vesical.

23. Desde el punto de vista ponderal, una embarazada no debe engordar más de:

a) 15 – 18 kg.
b) 6 – 10 kg.
c) 10 – 12 kg.
d) 12 – 15 kg.

24. Los principales minerales que debe incluir la dieta de una embarazada son:

a) Calcio y fósforo.
b) Fósforo y hierro.
c) Calcio y hierro.
d) Hierro y cinc.

25. Los movimientos fetales se suelen apreciar:

a) A partir de la decimoctava semana.
b) A partir de la decimoquinta semana.
c) A partir de la vigesimosegunda semana.
d) A partir de la duodécima semana.

26. Entre los cambios acaecidos en el aparato genital con el embarazo no se encuentra:

a) Hipertrofia de las Trompas de Falopio.
b) Atrofia vaginal.
c) Hipertrofia de los ovarios.
d) Aumento de tamaño del útero.

27. El término "Gestosis":

a) Es sinónimo de gravidez.
b) Hace referencia a los cambios acaecidos con el embarazo.
c) Hace referencia a la alimentación de la embarazada.
d) Hace referencia a la patología de la mujer que está relacionada con el embarazo.

28. ¿Cuántos pares de cromosomas existen?

a) 46.
b) 22.
c) 44.
d) 23.

29. Señale cuál de las siguientes alteraciones cromosómicas tiene lugar después de la fecundación:

a) Trisonomía.
b) Mosaicismo.
c) Monosomía.
d) Bisonomía.

Solución al test n.º 19

1. d) Prevenir la involución normal del útero que tiene lugar al final del ciclo menstrual. (*Ver epígrafe 1*).

2. a) Séptimo mes. (*Ver epígrafe 2*).

3. d) Tono violáceo que adquiere la vagina y el cuello uterino. (*Ver epígrafe 3.3.2*).

4. b) Linfocitosis con desviación a la izquierda. (*Ver epígrafe 3.6.2*).

5. c) Síndrome de Turner. (*Ver epígrafe 5*).

6. b) Síndrome de Patau. (*Ver epígrafe 5.2.1*).

7. d) Nidación. (*Ver epígrafe 1*).

8. a) Aldosterona. (*Ver epígrafe 1*).

9. b) Cuarto mes. (*Ver epígrafe 2*).

10. a) Sobre las 18 – 20 semanas. (*Ver epígrafe 3.3.1*).

11. b) Signo de Braxton Hicks. (*Ver epígrafe 3.3.2*).

12. a) Hipoventilación. (*Ver epígrafe 3.4*).

13. d) Disminución de la hipófisis. (*Ver epígrafe 3.4*).

14. c) 2400 – 2800 Kcal. (*Ver epígrafe 3.5*).

15. b) 180 / 100 mm Hg. (*Ver epígrafe 3.6.2*).

16. a) Toxemias. (*Ver epígrafe 3.6.2*).

17. b) Convulsiones. (*Ver epígrafe 3.6.2*).

18. b) Agua. (*Ver epígrafe 1*).

19. c) Función de glándula exocrina. (*Ver epígrafe 1*).

20. d) Desde la concepción hasta las primeras 8 semanas. (*Ver epígrafe 2*).

21. a) Sexto mes del desarrollo embrionario. (*Ver epígrafe 2*).

22. b) Estados nauseosos. (*Ver epígrafe 3.3.1*).

23. c) 10 – 12 Kg. (*Ver epígrafe 3.5*).

24. c) Calcio y hierro. (*Ver epígrafe 3.5*).

25. a) A partir de la decimoctava semana. (*Ver epígrafe 3.3.3*).

26. b) Atrofia vaginal. (*Ver epígrafe 3.4*).

27. d) Hace referencia a la patología de la mujer que está relacionada con el embarazo. (*Ver epígrafe 3.6*).

28. d) 23. (*Ver epígrafe 4*).

29. b) Mosaicismo. (*Ver epígrafe 5*).

TEST N.º 20

Desarrollo biológico del niño de 0-3 años

1. Entre los reflejos más habituales del neonato hay uno que lo perderá muy pronto, ¿cuál es?

a) El reflejo de la marcha.
b) El reflejo del abrazo.
c) El reflejo tónico del cuello.
d) Ninguna es correcta.

2. ¿Qué técnica permite detectar la fenilcetonuria?

a) El aclaramiento de creatinina.
b) La prueba del diagnóstico precoz de enzimopatías.
c) Una hematología completa.
d) Ninguna es correcta.

3. Cuando hacemos referencia a las "Perlas de Epstein", nos estamos refiriendo:

a) A una sustancia de color blanco grisácea que recubre la piel del recién nacido.
b) A los quistes de queratina que hay en el paladar duro y las encías.
c) A unas manchas de color blanquecino que aparecen sobre la espalda del recién nacido.
d) A la denominada costra láctea capilar.

4. ¿Cuál de los siguientes parámetros no se valora en el test de APGAR?

a) Turgencia de la piel.
b) Respiración.
c) Respuesta a estímulos.
d) Ninguna es correcta.

5. Señale cuál no es un signo indicativo de prematuridad:

a) Mayor cantidad de lanugo.
b) Mayor turgencia en la planta de los pies.

c) El ángulo de dorsiflexión es 0º.
d) Ninguna es correcta.

6. ¿Cuántos estados distintos comprende el sueño del neonato?

a) 5.
b) 4.
c) 3.
d) 2.

7. La frecuencia cardíaca del recién nacido, una vez que se ha estabilizado, oscila entre:

a) 80–100 pulsaciones por minuto.
b) 140–160 pulsaciones por minuto.
c) 120–140 pulsaciones por minuto.
d) Ninguna es correcta.

8. La temperatura del neonato tiende a estabilizarse alrededor de:

a) 36 ºC.
b) 36,5 ºC.
c) 37 ºC.
d) 35,5 C.

9. Cuando se va a realizar la higiene del recién nacido por vez primera, la temperatura del agua debe ser aproximadamente de:

a) 35 ºC.
b) 35,5 ºC.
c) 36 ºC.
d) 37 ºC.

10. El estudio de los reflejos permite:

a) Verificar el desarrollo esquelético del niño.
b) Verificar el estado neurológico del niño.
c) Verificar si el desarrollo que presenta es el adecuado para la edad gestacional que tiene.
d) Ninguna es correcta.

11. El perímetro torácico es menor que el cefálico, hasta aproximadamente los dos años de vida. La diferencia existente no debe ser superior a los:

a) 5 cm.
b) 2-3 cm.
c) 1-2 cm.
d) 8 cm.

12. El reflejo consistente en la percusión de la mitad externa de la planta del pie desde el talón hasta los metatarsianos recibe el nombre de:

a) Reflejo de Moro.
b) Reflejo de Babinski.
c) Reflejo tónico plantar.
d) Reflejo de Tarsis.

13. La frecuencia respiratoria del recién nacido varía:

a) Entre 30–50.
b) Entre 50–60.
c) Entre 40–60.
d) Entre 40-70.

14. ¿A partir de que puntuación en el Test de APGAR se considera a un neonato como normal?

a) 12.
b) 10.
c) 7.
d) 8.

15. En el Test de APGAR cada parámetro se valora de:

a) 1 a 3.
b) 0 a 1.
c) 0 a 2.
d) 0 a 3.

16. Las primeras deposiciones del recién nacido se conocen con el nombre de meconio, pero ¿qué aspecto y consistencia presentan?

a) Es amarillenta y de aspecto pastoso.
b) Es verdosa amarillenta y de aspecto semilíquido.
c) Es negra verdosa y de aspecto pegajoso.
d) Es parda rojiza y de aspecto granuloso.

17. El desprendimiento del cordón umbilical ocurre:

a) Hacia el décimo día.
b) Hacia el séptimo día.
c) Hacia el noveno día.
d) Hacia el tercer día.

18. La vernix caseosa suele desaparecer:

a) A la semana.
b) A los 3 días.
c) A los 2 días.
d) A las dos semanas.

19. Entre las causas que indican prematuridad no se encuentra:

a) El ser primípara.
b) El ser multípara.
c) La raza.
d) Ninguna es correcta.

20. Un neonato apropiado para la edad gestacional es aquel que:

a) Nace entre la 37 y la 42 semana de gestación.
b) Presenta un adecuado desarrollo intrauterino.
c) Al nacer pesa entre 2500 y 3500 gramos.
d) Ninguna es correcta.

21. Las condiciones que debe reunir un niño para ser considerado como "neonato a término" tienen que ser:

a) Haber nacido entre la semana 37 y la 42 y tener un peso entre 2500 y 3500 gramos.
b) Haber nacido entre la semana 37 y la 42 y tener un peso entre 2200 y 4000 gramos.
c) Haber nacido entre la semana 37 y la 42 sin importar su peso.
d) Ninguna es correcta.

22. Entre los factores ambientales que constituyen causa de prematuridad se encuentra:

a) El clima.
b) La polución.
c) Las irradiaciones.
d) El lugar de nacimiento.

23. El estado del sueño del neonato que se caracteriza porque éste responde a estímulos ambientales recibe el nombre de:

a) Inactividad alerta.
b) Vigilia y llanto.
c) Sueño irregular.
d) Sueño superficial.

24. Entre los tres grandes riesgos que puede presentar un recién nacido prematuro o de bajo peso, no se encuentra:

a) La deshidratación.
b) La infección.
c) La hemorragia.
d) Ninguna es correcta.

25. Entre las causas que indican prematuridad no se encuentra:

a) La edad materna.
b) La presentación fetal.
c) Un estado nutricional deficiente.
d) Ninguna es correcta.

26. La longitud promedio de un neonato es:

a) 45–50 cm.
b) 48–53 cm.
c) 47–51 cm.
d) 40-55 cm.

27. El test de adaptación del recién nacido a la vida extrauterina recibe el nombre de:

a) Test de Glasgow.
b) Test de Apgar.
c) Test de Norton.
d) Test del Neonato.

28. Uno de los siguientes factores no influye en el peso del recién nacido. Señálalo:

a) El sexo.
b) Los hábitos paternos.
c) La edad de los progenitores.
d) Ninguna es correcta.

29. En condiciones normales, el número de deposiciones diarias es de:

a) 5.
b) De 3 a 5.
c) De 1 a 3.
d) 2.

30. Señale cuál no es un signo de prematuridad:

a) Los labios mayores están poco desarrollados.
b) El clítoris es poco prominente.
c) Los labios mayores están separados.
d) Ninguno es signo de prematuridad.

Solución al test n.º 20

1. a) El reflejo de la marcha. (*Ver epígrafe 5.3*).

2. b) La prueba del diagnóstico precoz de enzimopatías. (*Ver epígrafe 5*).

3. b) A los quistes de queratina que hay en el paladar duro y las encías. (*Ver epígrafe 4.2*).

4. a) Turgencia de la piel. (*Ver epígrafe 5.2*).

5. c) El ángulo de dorsiflexión es 0º. (*Ver epígrafe 6.2*).

6. a) 5. (*Ver epígrafe 4.2*).

7. c) 120–140 pulsaciones por minuto. (*Ver epígrafe 4.2*).

8. b) 36,5 ºC. (*Ver epígrafe 4.2*).

9. a) 35 ºC. (*Ver epígrafe 5*).

10. b) Verificar el estado neurológico del niño. (*Ver epígrafe 5.3*).

11. b) 2-3 cm. (*Ver epígrafe 4.1*).

12. b) Reflejo de Babinski. (*Ver epígrafe 4.2*).

13. c) Entre 40–60. (*Ver epígrafe 4.2*).

14. c) 7. (*Ver epígrafe 5.2*).

15. c) 0 a 2. (*Ver epígrafe 5.2*).

16. c) Es negra verdosa y de aspecto pegajoso. (*Ver epígrafe 4.2*).

17. b) Hacia el séptimo día. (*Ver epígrafe 4.2*).

18. c) A los 2 días. (*Ver epígrafe 4.2*).

19. c) La raza. (*Ver epígrafe 6.1*).

20. b) Presenta un adecuado desarrollo intrauterino. (*Ver epígrafe 2.1*).

21. c) Haber nacido entre la semana 37 y la 42 sin importar su peso. (*Ver epígrafe 2.2*).

22. c) Las irradiaciones. (*Ver epígrafe 6.1*).

23. a) Inactividad alerta. (*Ver epígrafe 4.2*).

24. a) La deshidratación. (*Ver epígrafe 6.3*).

25. b) La presentación fetal. (*Ver epígrafe 6.1*).

26. b) 48 – 53 cm. (*Ver epígrafe 4.1*).

27. b) Test de Apgar. (*Ver epígrafe 5*).

28. b) Los hábitos paternos. (*Ver epígrafe 4.1*).

29. c) De 1 a 3. (*Ver epígrafe 4.2*).

30. b) El clítoris es poco prominente. (*Ver epígrafe 6.2*).

TEST N.º 21

Alimentación. Nutrición. Dentición infantil

1. ¿Qué es la alimentación?

a) Es proceso involuntario que tiene inicio tras la ingesta del alimento.

b) Es un proceso voluntario que tiene como objetivo el obtener del entorno alimentos con los que poder aportar a nuestro organismo los nutrientes que precisa para la vida.

c) Engloba el conjunto de procesos mediante los cuales el organismo utiliza, transforma e incorpora en sus propias estructuras una serie de sustancias que proceden de los alimentos.

d) Ninguna respuesta es correcta.

2. ¿Cuál de los siguientes nutrientes es inorgánico?

a) Glúcidos.

b) Grasas.

c) Sales minerales.

d) Proteínas.

3. Indica cuál de las siguientes afirmaciones es falsa:

a) Los nutrientes esenciales no pueden ser sintetizados por nuestro organismo y los aportamos a través de los alimentos.

b) Las grasas son nutrientes orgánicos.

c) Todos los nutrientes pueden ser fabricados por nuestro organismo.

d) Las vitaminas son sustancias orgánicas.

4. Indica cuál de las siguientes afirmaciones sobre las sales minerales es verdadera:

a) Intervienen en la excitabilidad nerviosa y en la actividad muscular.

b) Permiten la entrada de sustancias a las células.

c) Participan en diferentes procesos metabólicos.

d) Todas las respuestas son correctas.

5. ¿Cuál es el mineral más importante para la formación y mantenimiento de huesos y dientes?

a) El calcio.
b) El sodio.
c) El potasio.
d) El yodo.

6. ¿Por qué es tan importante la presencia de hierro en la alimentación diaria?

a) Porque interviene en la formación y mantenimiento de huesos y dientes.
b) Porque interviene en el mantenimiento de la presión normal en el interior y exterior de las células.
c) Porque regula el balance hídrico en el organismo.
d) Porque interviene en el transporte y depósito de oxígeno de los tejidos.

7. ¿Cuántas kcal aportan 1 gramo de glúcidos?

a) 4 kcal.
b) 5 kcal.
c) 6 kcal.
d) 9 kcal.

8. ¿Qué es la sacarosa?

a) Un monosacárido.
b) Un disacárido.
c) Un polisacárido.
d) Una fibra.

9. ¿Qué es el almidón?

a) Glúcido constituido por glucosa y fructosa. Se encuentra en la remolacha y en la caña de azúcar, verduras y frutas.
b) Es el almacén de glucosa en los animales en hígado y músculo.
c) Está constituido por dos unidades de glucosa. En estado libre lo encontramos en algunos vegetales, como la cebada.
d) Es la forma en que se almacena la glucosa en los vegetales como las legumbres, cereales y tubérculos como la patata.

10. Indica cuál de las siguientes afirmaciones sobre la fibra dietética es falsa:

a) Las fibras insolubles forman mezclas de baja densidad gracias a su capacidad de retener el agua en su matriz estructural.
b) En los niños mayores de dos años y hasta los dieciocho, se recomienda el consumo de la cantidad que resulte de sumar 25 g/día a su edad.

c) Las fibras solubles originan soluciones de gran viscosidad cuando se ponen en contacto con el agua (forman un retículo donde quedan atrapadas).

d) Se recomienda una dieta que aporte de 20 a 35 gramos diarios de fibra de diferentes fuentes.

11. ¿Cuál de las siguientes funciones no es propia de las grasas?

a) Actúan como aislante térmico contra el frío.
b) Actúan de envoltorio protector de órganos vitales.
c) Transportan vitaminas liposolubles (A, D, E y K).
d) Todas las respuestas son correctas.

12. ¿Cuál de los siguientes alimentos no es rico en ácidos grasos saturados?

a) Aceite de pescado.
b) Aceite de palma.
c) Sebo.
d) Carne grasa.

13. ¿Cuáles son los constituyentes de las proteínas?

a) Los aminoácidos.
b) Los monosacáridos.
c) Las vitaminas.
d) Las sales minerales.

14. ¿Cuál de los siguientes nutrientes no aporta energía?

a) Glúcidos.
b) Grasas.
c) Vitaminas.
d) Proteínas.

15. Indica cuál de las siguientes afirmaciones es falsa:

a) Un niño alimentado de forma correcta no tiene un menor riesgo de padecer trastornos nutricionales, sobrepeso, obesidad, anemia ferropénica, carencias de vitaminas y de minerales, caries dental y problemas de aprendizaje escolar.

b) Los procesos de sociabilización son totalmente transversales al proceso de aprendizaje alimentario.

c) Los niños pequeños son fáciles de dirigir hacia unos nuevos hábitos alimentarios, cosa que en los adultos supone un mayor trabajo.

d) La primera infancia es la etapa en la que se produce el proceso de socialización más intenso, cuando el ser humano es más apto para aprender.

16. Lo mejor para alimentar bien a los niños es proporcionarles una amplia variedad de alimentos que les resulten agradables. ¿Qué alimentos se consideran esenciales y se deben consumir diariamente?

a) Bollería industrial.
b) Cereales.
c) Vísceras.
d) Mantequilla.

17. ¿Cuántas raciones de frutas y verduras debe consumir al día un niño?

a) 2 raciones entre frutas y verduras.
b) 3 raciones entre frutas y verduras.
c) 4 raciones entre frutas y verduras.
d) 5 raciones entre frutas y verduras.

18. ¿Cuántas raciones semanales deben consumirse de frutos secos?

a) 2 veces a la semana.
b) Mínimo 3 veces a la semana.
c) Máximo 7 veces a la semana.
d) Las respuestas b y c son ambas correctas.

19. Indica cuál de las siguientes afirmaciones es falsa:

a) En todas las actividades que el Técnico superior de educación infantil realice debe asegurar la participación activa y el protagonismo de todos los pequeños del aula para que aprendan a sentirse implicados con el cuidado de su propia salud.

b) El adulto no debe comportarse como un modelo a seguir ya que el aprendizaje por imitación resulta muy eficaz.

c) Se debe facilitar la adquisición del hábito usando asociaciones con juegos, palabras o frases que estimulen o recuerden la ejecución del hábito.

d) El ambiente debe ser de comprensión, constancia y motivación. No se debe forzar al niño, reñirle ni castigarle.

20. Indica cuál de las siguientes afirmaciones es falsa:

a) La hora de comer es importante para los niños ya que la comida les suele proporcionar un sentimiento de bienestar y placer.

b) La hora de comer debe ser un marco de relaciones, diálogo y comunicación, donde el niño adquiera autonomía y se relacione socialmente con los demás.

c) El cambio de personal constante facilita la relación del alumno con el adulto en el comedor escolar.

d) El lugar para comer debe ser el adecuado, al igual que el tiempo para finalizar la comida.

21. La anorexia consiste en:

a) Un apetito desmesurado, voracidad.
b) Desgana por la comida o falta anormal de apetito.
c) Una enfermedad cardiovascular.
d) Una enfermedad pulmonar.

22. La ingesta persistente de sustancias no nutritivas se denomina:

a) Anorexia del lactante.
b) Bruxismo.
c) Pica.
d) Rumiación.

23. Señale la afirmación correcta sobre las alergias alimentarias:

a) Las manifestaciones clínicas más frecuentes de las alergias alimentarias son las alteraciones cardiacas.
b) La mayor parte de estas alergias alimentarias se inician en la infancia.
c) La mayor parte de las alergias alimentarias son de carácter permanente.
d) Todas son correctas.

24. La anafilaxia es:

a) Una reacción alérgica generalizada, con afectación cutánea, respiratoria y hemodinámica.
b) Una reacción alérgica que se caracteriza por obstrucción nasal, tos, pitidos del pecho, dificultad respiratoria.
c) Una reacción alérgica que se caracteriza por picor o hinchazón de labios y lengua.
d) Una hemorragia intestinal provocada por una reacción alérgica a determinados alimentos.

25. En el caso de ingesta accidental del alimento al que se tiene una alergia con síntomas graves, el tratamiento de urgencia consiste en:

a) Un dispositivo de adrenalina precargada autoinyectable.
b) Cualquier medicamento antihistamínico.
c) Provocación del vómito.
d) Tomar un vaso de leche, ya que contrarresta los efectos del alérgeno.

26. Entre las medidas a tomar ante un alumno con alergia alimentaria, podemos citar:

a) El centro educativo debe evitar las situaciones de riesgo, adaptando las distintas actividades y los espacios, de manera que el niño alérgico pueda participar en las mismas condiciones de seguridad que sus compañeros.
b) Todas las medidas que se tomen con respecto a un alumno con alergia alimentaria deben estar recogidas en los diferentes documentos del centro: PEC, PC y PGA y han de ser conocidas por todo el personal del centro educativo.

c) Es importante que el niño con alergia sea fácilmente identificable por todo el personal escolar, para que se puedan evitar las situaciones de riesgo y saber cómo actuar ante una posible reacción alérgica.

d) Todas son correctas.

27. Indica cuál de las siguientes afirmaciones es falsa:

a) La hora de comer es importante para los niños ya que la comida les suele proporcionar un sentimiento de bienestar y placer.

b) La hora de comer debe ser un marco de relaciones, diálogo y comunicación, donde el niño adquiera autonomía y se relacione socialmente con los demás.

c) El cambio de personal constante facilita la relación del alumno con el adulto en el comedor escolar.

d) El lugar para comer debe ser el adecuado, al igual que el tiempo para finalizar la comida.

28. Un contenido cognitivo que podemos introducir simultáneamente al acto de la comida podría ser:

a) Puesta en práctica de hábitos antes y después de las comidas.

b) Higiene y limpieza y su relación con el bienestar personal.

c) Aceptación de normas establecidas de comportamiento durante las comidas.

d) Colaboración en las tareas relacionadas con el acto de comer.

29. Un contenido de carácter procedimental que podemos introducir simultáneamente al acto de la comida podría ser:

a) Hábitos relacionados con el acto de comer: utilización progresivamente correcta de utensilios.

b) Limpieza e higiene y orden en los distintos espacios y su relación con el bienestar y la salud.

c) Higiene y limpieza y su relación con el bienestar personal.

d) Respeto por las acciones de los demás.

30. Un contenido de carácter actitudinal que podemos introducir simultáneamente al acto de la comida podría ser:

a) Cuidado y limpieza con relación a la comida (cepillado de dientes, lavado de manos, limpieza de utensilios).

b) Enfermedades relacionadas con la alimentación.

c) Aceptación de dietas especiales en determinadas situaciones.

d) Tipos de alimentos.

Solución al test n.º 21

1. b) Es un proceso voluntario que tiene como objetivo el obtener del entorno alimentos con los que poder aportar a nuestro organismo los nutrientes que precisa para la vida. (*Ver epígrafe 1.1*).

2. c) Sales minerales. (*Ver epígrafe 1.2.1*).

3. c) Todos los nutrientes pueden ser fabricados por nuestro organismo. (*Ver epígrafe 1.2*).

4. d) Todas las respuestas son correctas. (*Ver epígrafe 1.2.1*).

5. a) El calcio. (*Ver epígrafe 1.2.1*).

6. d) Porque interviene en el transporte y depósito de oxígeno de los tejidos. (*Ver epígrafe 1.2.1*).

7. a) 4 kcal. (*Ver epígrafe 1.2.2*).

8. b) Un disacárido. (*Ver epígrafe 1.2.2*).

9. d) Es la forma en que se almacena la glucosa en los vegetales como las legumbres, cereales y tubérculos como la patata. (*Ver epígrafe 1.2.2*).

10. b) En los niños mayores de dos años y hasta los dieciocho, se recomienda el consumo de la cantidad que resulte de sumar 25 g/día a su edad. (*Ver epígrafe 1.2.2*).

11. d) Todas las respuestas son correctas. (*Ver epígrafe 1.2.2*).

12. a) Aceite de pescado. (*Ver epígrafe 1.2.2*).

13. a) Los aminoácidos. (*Ver epígrafe 1.2.2*).

14. c) Vitaminas. (*Ver epígrafe 1.2.2*).

15. a) Un niño alimentado de forma correcta no tiene un menor riesgo de padecer trastornos nutricionales, sobrepeso, obesidad, anemia ferropénica, carencias de vitaminas y de minerales, caries dental y problemas de aprendizaje escolar. (*Ver epígrafe 4*).

16. b) Cereales. (*Ver epígrafe 4*).

17. d) 5 raciones entre frutas y verduras. (*Ver epígrafe 4*).

18. d) Las respuestas b y c son ambas correctas. (*Ver epígrafe 4*).

19. b) El adulto no debe comportarse como un modelo a seguir ya que el aprendizaje por imitación resulta muy eficaz. (*Ver epígrafe 5*).

20. c) El cambio de personal constante facilita la relación del alumno con el adulto en el comedor escolar. (*Ver epígrafe 5*).

21. b) Desgana por la comida o falta anormal de apetito. (*Ver epígrafe 7.1*).

22. c) Pica. (*Ver epígrafe 7.1*).

23. b) La mayor parte de estas alergias alimentarias se inician en la infancia. (*Ver epígrafe 7.3.1*).

24. a) Una reacción alérgica generalizada, con afectación cutánea, respiratoria y hemodinámica. (*Ver epígrafe 7.3.1*).

25. a) Un dispositivo de adrenalina precargada autoinyectable. (*Ver epígrafe 7.3.1*).

26. d) Todas son correctas. (*Ver epígrafe 7.3.2*).

27. c) El cambio de personal constante facilita la relación del alumno con el adulto en el comedor escolar. (*Ver epígrafe 8*).

28. b) Higiene y limpieza y su relación con el bienestar personal. (*Ver epígrafe 8*).

29. a) Hábitos relacionados con el acto de comer: utilización progresivamente correcta de utensilios. (*Ver epígrafe 8*).

30. c) Aceptación de dietas especiales en determinadas situaciones. (*Ver epígrafe 8*).

TEST N.º 22

Higiene del niño e higiene ambiental. Control de esfínteres. Necesidades de sueño

1. La higiene es:

a) La parte de la medicina que estudia los medios para mantener la salud.
b) Se ocupa de los aspectos globales de la relación del ser humano con su hábitat, dirigidos a conservar la integridad de las diversas funciones del organismo y a incrementar la salud del mismo.
c) Según la OMS, un estado de bienestar físico, psíquico y social.
d) Las respuestas a) y b) son correctas.

2. ¿A cuál de los siguientes tipos de higiene se refiere este contenido: tiene como objetivo favorecer las capacidades y condiciones del individuo que le permitan su desarrollo personal y su integración en el entorno?:

a) Higiene ambiental.
b) Higiene alimentaria.
c) Higiene mental.
d) Higiene epidemiológica.

3. La duración del baño, durante los cuatro primeros meses de vida, debe ser de:

a) Unos dos o tres minutos.
b) 15 minutos.
c) Una media hora.
d) Ninguna de las anteriores es correcta.

4. Señale la respuesta correcta. En el ámbito escolar, se plantean como objetivos específicos del área incluidos en los diferentes diseños curriculares autonómicos, que los niños:

a) Conozcan los aspectos principales que inciden o pueden incidir en la propia salud, como son las funciones del cuerpo, factores que afectan positiva o negativamente a la salud y los medios que tenemos para mantenerla y mejorarla.
b) Tomen conciencia de la necesidad de cuidar la propia salud y adopten las medidas necesarias para mantenerla y mejorarla.

c) Adquieran y consoliden hábitos higiénicos básicos adecuados a su edad.
d) Todas las anteriores.

5. ¿En cuál de las siguientes zonas la limpieza en el centro escolar debe ser más escrupulosa?:

a) Comedor.
b) Zonas de alimentación.
c) Los aseos y cambiadores.
d) Todas las anteriores.

6. El conjunto de medidas que favorecen el aprendizaje sobre el aseo personal y el cuidado del cuerpo, se conocen con el nombre de:

a) Higiene ambiental.
b) Higiene personal.
c) Higiene alimentaria.
d) Todas son correctas.

7. Según Comellas, ¿cuántas fases se pueden establecer en la adquisición de hábitos?

a) Tres.
b) Cinco.
c) Dos.
d) Cuatro.

8. ¿A qué fase de la adquisición de hábitos se refiere esta expresión: "Se favorecerá la repetición por parte del niño hasta que llegue a su ejecución sin la supervisión o estímulo del adulto, consiguiendo así una autonomía real":

a) Preparación.
b) Automatización.
c) Aprendizaje.
d) Consolidación.

9. ¿Cuál de los siguientes hábitos se ha de iniciar o consolidar durante los 2-4 años?

a) Aprender a limpiarse después de defecar u orinar.
b) Aprender a lavarse las manos y secárselas.
c) Aprender a sonarse la nariz y usar el pañuelo.
d) Aprender a cepillarse los dientes.

10. ¿A qué edad el niño es capaz de avisar sobre su deseo de orinar dando ya tiempo a llevarlo al baño?:

a) Entre los 15 y los 18 meses.
b) Entre los 18 y los 24 meses.

c) Entre el segundo y tercer año de vida.
d) A partir del tercer año.

11. La enuresis funcional se caracteriza:

a) Porque el niño no ha sido educado suficientemente para el control de la orina.
b) Por la presencia de algún trastorno orgánico.
c) Por la falta de control voluntario de la orina sin causa orgánica que lo origine.
d) Por aparecer a partir de los 3 años de edad.

12. Señale la afirmación correcta sobre el sueño REM:

a) También se le denomina sueño tranquilo.
b) Durante el sueño REM disminuye la tensión de la sangre.
c) El ritmo cardiaco y respiratorio se tornan irregulares.
d) Todas son correctas.

13. ¿Cuál de los siguientes aspectos se deben tener en cuenta en la higiene del sistema visual?

a) Prevenir la exposición a ambientes o medios con exceso o defecto de luz.
b) Prevenir la exposición a ambientes o medios con condiciones higiénicas adversas (polvo, contaminación…)
c) No someter a los ojos a situaciones de fatiga.
d) Todas son correctas.

14. Para favorecer la termorregulación, la transpiración y protección de la piel frente a los agentes del medio, es conveniente no usar prendas de:

a) Licra.
b) Algodón.
c) Lino.
d) Lana.

15. Cuando el niño es capaz de realizar el hábito en contextos diferentes al que lo ha aprendido, generalizando sus actuaciones y aumentando las pautas de autocontrol necesarias para la ejecución de la conducta, hablamos de:

a) Preparación.
b) Aprendizaje.
c) Consolidación.
d) Automatización.

16. En lo que se refiere a la higiene corporal, el niño de entre 1 y 2 años:

a) Se inicia en el aprendizaje de lavarse las manos.
b) Empieza a peinarse, si tiene el cabello corto.

c) Se lava los dientes.
d) Todas son correctas.

17. En ausencia de problema orgánico, si un niño no ha conseguido controlar la orina a la edad de 5 años, hablamos de:

a) Incontinencia.
b) Enuresis primaria.
c) Enuresis secundaria.
d) Encopresis.

18 La aparición de la encopresis puede ir ligada a otro tipo de trastornos como:

a) Depresión infantil.
b) Trastornos en la motricidad.
c) Crisis epilépticas.
d) Todas son correctas.

19 En el entorno escolar la fatiga del niño puede estar causada por:

a) Actividades excesivamente largas.
b) Actividades excesivamente difíciles para el nivel madurativo del niño.
c) Horario escolar no organizado según los índices de dificultad de las materias y ritmos vitales.
d) Todas son correctas..

20 ¿En qué grupo de edad se observa un resurgimiento de los llantos nocturnos, aun entre los niños que anteriormente dormían toda la noche sin dificultad?

a) 3 a 6 meses.
b) 6 a 9 meses.
c) 9 a 12 meses.
d) 12 a 18 meses.

21. Las alteraciones en la iniciación y continuación del sueño o presencia de somnolencia, se denominan:

a) Trastornos del sueño.
b) Perisomnias.
c) Disomnias.
d) Parasomnias.

22. El trastorno del sueño relacionado con la respiración más frecuente en niños es:

a) Ronquido primario.
b) Síndrome de apneas obstructivas del sueño.

c) Bruxismo.
d) Anoxia neonatal.

23. Los terrores aparecen:

a) En el segundo tercio de la noche.
b) En el primer tercio de la noche.
c) En el tercer tercio de la noche.
d) En la segunda mitad de la noche.

24. Para favorecer el sueño de los niños es recomendable:

a) Establecer un horario fijo y regular de sueño.
b) No usar la habitación como lugar de castigo para evitar la asociación del entorno de dormir con estímulos desagradables o negativos.
c) Acostar al niño cuando esté somnoliento (tranquilo y relajado) pero no dormido, para dejar que inicie el sueño de forma autónoma.
d) Todas son correctas.

Solución al test n.º 22

1. d) Las respuestas a) y b) son correctas. *(Ver epígrafe 2.1).*

2. c) Higiene mental. *(Ver epígrafe 2.1).*

3. a) Unos dos o tres minutos. *(Ver epígrafe 2.2).*

4. d) Todas las anteriores. *(Ver epígrafe 3).*

5. d) Todas las anteriores. *(Ver epígrafe 3).*

6. b) Higiene personal. *(Ver epígrafe 2.1).*

7. d) Cuatro. *(Ver epígrafe 4.1).*

8. b) Automatización. *(Ver epígrafe 4.1).*

9. b) Aprender a lavarse las manos y secárselas. *(Ver epígrafe 4.2).*

10. b) Entre los 18 y los 24 meses. *(Ver epígrafe 6).*

11. c) Por la falta de control voluntario de la orina sin causa orgánica que lo origine. *(Ver epígrafe 6.1).*

12. c) El ritmo cardiaco y respiratorio se tornan irregulares. *(Ver epígrafe 7.1).*

13. d) Todas son correctas. *(Ver epígrafe 2.2).*

14. a) Licra. *(Ver epígrafe 2.2).*

15. c) Consolidación. *(Ver epígrafe 4.1).*

16. a) Se inicia en el aprendizaje de lavarse las manos. *(Ver epígrafe 4.2).*

17. b) Enuresis primaria. *(Ver epígrafe 6.1).*

18. d) Todas son correctas. *(Ver epígrafe 6.2).*

19. d) Todas son correctas. *(Ver epígrafe 7.3).*

20. b) 6 a 9 meses. *(Ver epígrafe 7.2).*

21. c) Disomnias. *(Ver epígrafe 7.4.2).*

22. b) Síndrome de apneas obstructivas del sueño. *(Ver epígrafe 7.4.2).*

23. b) En el primer tercio de la noche. *(Ver epígrafe 7.4.3).*

24. d) Todas son correctas. *(Ver epígrafe 7.5).*

TEST N.º 23

Enfermedades infantiles. Vacunas

1. La parotiditis se caracteriza por:

a) Ser una enfermedad no contagiosa.
b) Ser una enfermedad bacteriana.
c) La tumefacción dolorosa de las glándulas salivares en especial la parótida.
d) Todas son correctas.

2. A las vacunas que necesitan de varias dosis para crear en el sujeto una adecuada inmunidad se les conoce como el nombre de:

a) Atenuadas.
b) Polivalentes.
c) Inactivadas.
d) Monovalentes.

3. Señale cuál de las siguientes afirmaciones no constituye una contraindicación general de las vacunas:

a) Presencia de patología infecciosa que curse con fiebre y/o mal estado general del individuo.
b) Existencia de alteraciones de tipo inmunitario.
c) Presencia de enfermedad neurológica.
d) Presencia de patología psiquiátrica de tipo evolutivo grave.

4. ¿Con qué nombre se conoce al síndrome caracterizado porque el paciente diagnosticado de meningitis entra en un estado de shock con postración súbita y equimosis?

a) Síndrome de Hoster – Wilfred.
b) Síndrome de Waterhouse – Friderishen.
c) Síndrome de Estambul.
d) Síndrome de Pantaleón.

5. Señale la afirmación correcta sobre la conjuntivitis aguda:

a) Sus síntomas más habituales son lagrimeo, irritación y enrojecimiento de la conjuntiva de uno o de ambos ojos.

b) El tratamiento más habitual es el lavado de ambos ojos con manzanilla. Esto se hará, aunque solo esté afectado un ojo, para así, prevenir el contagio de uno a otro.

c) El contacto con las secreciones de las personas enfermas, no transmite la enfermedad.

d) Todas son correctas.

6. Entre las contraindicaciones de la vacuna de la tuberculosis no se encuentra:

a) Personas que presenten inmunodeficiencias.
b) Personas sometidas a antibioterapia.
c) Personas diagnosticadas de VIH positivo.
d) Embarazo.

7. ¿Cuál de las siguientes enfermedades no está producida por parásitos?

a) Pediculosis.
b) Muget.
c) Áscaris.
d) Sarna.

8. La vacuna tipo Sabin protege frente:

a) Al sarampión.
b) A la polio.
c) Al Tétanos.
d) A la Difteria.

9. ¿Cuál de las siguientes vacunas no forma parte de la triple vírica?

a) Paperas.
b) Varicela.
c) Rubéola.
d) Sarampión.

10. El período de incubación de la hepatitis B oscila entre:

a) 20 – 40 días.
b) 50 – 220 días.
c) 60 – 150 días.
d) 45 – 180 días.

11. ¿En qué consiste la coprofagia?

a) En la absorción de sustancias no nutritivas como jabón, tiza, carbón, tierra, etc.
b) En la ingestión de material fecal.
c) En el arrancamiento de cabellos (de la cabeza, cejas, pestañas) y su posterior ingestión.
d) En la regurgitación repetida de alimentos con pérdida de peso.

12. La apendicitis se caracteriza por:

a) La fiebre es un síntoma constante.
b) Cuanto más pequeños son los niños, más fácil de diagnosticar resulta.
c) Se caracteriza por un dolor abdominal localizado en la parte inferior, especialmente del lado izquierdo.
d) Se presentan náuseas y los vómitos posteriores al inicio del dolor.

13. Ante las convulsiones febriles debemos actuar:

a) Situando al niño boca abajo con la cabeza vuelta hacia un lado para evitar que el niño aspire en caso de vómito.
b) Sumergiendo al niño en agua fría para bajarle la temperatura.
c) Colocando al niño sobre una superficie blanda e impedir sus movimientos convulsivos sujetándolo fuertemente con ambas manos o entre dos personas si fuese necesario.
d) Todas son correctas..

14. La etiología más frecuente del catarro común es:

a) Micosis.
b) Virasis.
c) Bacteriemia.
d) Septicemia.

15. Las manchas de Koplik son características de:

a) Sarampión.
b) Rubéola.
c) Polio.
d) Difteria.

16. Señale cuál no es un parámetro válido para clasificar las vacunas:

a) Origen.
b) Virulencia del antígeno.
c) Estado del antígeno.
d) Composición.

17. El período de contagio de la varicela se extiende:

a) Desde una semana antes de la aparición del exantema hasta 10 días después de la aparición del mismo.
b) Desde dos días antes de la aparición del exantema hasta 6-7 días después de la aparición del mismo.
c) Desde una semana antes de la aparición del exantema hasta 2-3 días después de la aparición del mismo.
d) Desde dos días antes de la aparición del exantema hasta 2-3 días después de la aparición del mismo.

18. Señale cuál de las siguientes enfermedades es bacteriana.

a) Hepatitis.
b) Difteria.
c) Polio.
d) Sarampión.

19. ¿Cuál de las siguientes patologías cursa con la aparición de espasmos musculares muy dolorosos en cara y cuello?

a) Haemophilus influenzae B.
b) Meningitis.
c) Difteria.
d) Tétanos.

20. ¿Qué patología ocasiona la Bordetella pertussis?

a) Rubéola.
b) Polio.
c) Tos ferina.
d) Parotiditis.

21. El período de incubación del sarampión es de:

a) 30 – 45 días.
b) 3 – 7 días.
c) 10 – 14 días.
d) 21 – 28 días.

Solución al test n.º 23

1. c) La tumefacción dolorosa de las glándulas salivares en especial la parótida. *(Ver epígrafe 1.2).*

2. c) Inactivadas. *(Ver epígrafe 3).*

3. d) Presencia de patología psiquiátrica de tipo evolutivo grave. *(Ver epígrafe 3.3).*

4. b) Síndrome de Waterhouse – Friderishen. *(Ver epígrafe 3.1.9).*

5. a) Sus síntomas más habituales son lagrimeo, irritación y enrojecimiento de la conjuntiva de uno o de ambos ojos. *(Ver epígrafe 1.3).*

6. b) Personas sometidas a antibioterapia. *(Ver epígrafe 3.2.2).*

7. b) Muget. *(Ver epígrafe 1.4).*

8. b) A la polio. *(Ver epígrafe 3.1.5).*

9. b) Varicela. *(Ver epígrafe 3.1.7).*

10. d) 45 – 180 días. *(Ver epígrafe 3.1.1).*

11. b) En la ingestión de material fecal. *(Ver epígrafe 1.6).*

12. d) Se presentan náuseas y los vómitos posteriores al inicio del dolor. *(Ver epígrafe 1.7).*

13. a) Situando al niño boca abajo con la cabeza vuelta hacia un lado para evitar que el niño aspire en caso de vómito. *(Ver epígrafe 1.7.).*

14. b) Virasis. *(Ver epígrafe 1.2).*

15. a) Sarampión. *(Ver epígrafe 3.1.6).*

16. b) Virulencia del antígeno. *(Ver epígrafe 3).*

17. b) Desde dos días antes de la aparición del exantema hasta 6-7 días después de la aparición del mismo. *(Ver epígrafe 3.2.1).*

18. b) Difteria. *(Ver epígrafe 3.1.2).*

19. d) Tétanos. *(Ver epígrafe 3.1.3).*

20. c) Tos ferina. *(Ver epígrafe 3.1.4).*

21. c) 10 – 14 días. *(Ver epígrafe 3.1.6).*

TEST N.º 24

Prevención de accidentes infantiles

1. Los niños impulsivos de edades comprendidas entre los 6 y 12 años presentan un mayor riesgo de padecer accidentes que los que no lo son a esta edad. En ellos existe un denominador común. Señale cuál es:

a) Se encuentran bajo tratamiento médico.
b) No poseen grupos de amigos.
c) Desinterés por todo lo que les rodea.
d) Relación paterna inadecuada.

2. ¿Qué intervalo de edad de los que se citan es el que más frecuentemente requiere de hospitalización tras sufrir un accidente?

a) 1 – 3 años.
b) 3 – 6 años.
c) 6 – 12 años.
d) 12 – 18 años.

3. ¿Cuál de las siguientes medidas preventivas persigue el fomento educativo a través de la información?

a) La protección.
b) La sobreprotección.
c) La promoción.
d) La racionalización.

4. ¿A qué edad se debe comenzar con la medida preventiva "enseñarle a cruzar las calles"?

a) Infancia temprana.
b) Edad preescolar.
c) Edad escolar.
d) Adolescencia.

5. ¿Cuál es la segunda causa de muerte en los niños de edades comprendidas entre 1 - 3 años?

a) Intoxicaciones.
b) Quemaduras.
c) Ahogamiento.
d) Lesiones corporales.

6. ¿Qué tipo de accidente predomina como causa de muerte accidental en toda la infancia?

a) Automovilísticos.
b) Intoxicaciones.
c) Caídas.
d) Ahogamiento.

7. De las siguientes medidas preventivas frente a los accidentes, ¿cuál no corresponde a la edad escolar?

a) Instruir sobre las normas de comportamiento vial que se han de seguir tanto como peatón como pasajero.
b) Instruir sobre las normas a seguir en caso de que nuestra ropa salga ardiendo.
c) Instruir sobre el riesgo que entraña para la salud el fumar.
d) Mantener las armas de fuego guardadas bajo llave.

8. ¿A qué edad es conveniente colocar protectores en las ventanas o persianas?

a) Infancia temprana.
b) Edad preescolar.
c) Edad escolar.
d) Adolescencia.

9. Durante la infancia temprana la gran mayoría de los accidentes tienen lugar en:

a) Guardería.
b) Calle.
c) Cocina.
d) Habitación.

10. ¿A qué edad se debe comenzar con la medida preventiva "enseñar las normas básicas de seguridad vial"?

a) Infancia temprana.
b) Edad preescolar.
c) Edad escolar.
d) Adolescencia.

11. ¿Qué medida preventiva es fundamental en la prevención de accidentes en los niños en todas las edades?

a) El orden en el hogar.
b) La vigilancia.
c) La prohibición de actividades que entrañen un riesgo de leve a moderado.
d) La sobreprotección.

12. El tipo de accidentes predominantes en la edad escolar se corresponden con:

a) Las caídas.
b) Los accidentes de tráfico.
c) Las intoxicaciones.
d) Las quemaduras.

13. ¿A qué edad se debe comenzar con la medida preventiva "instruir acerca de los riesgos para la salud que entraña el estar demasiado tiempo expuesto a la luz solar"?

a) Infancia temprana.
b) Edad preescolar.
c) Edad escolar.
d) Adolescencia.

14. ¿En cuantos períodos podemos dividir la infancia?

a) 2.
b) 3.
c) 4.
d) 5.

15. ¿A qué edad se debe comenzar con la medida preventiva "instruir sobre las medidas de seguridad que se han de seguir durante el baño"?

a) Infancia temprana.
b) Edad preescolar.
c) Edad escolar.
d) Adolescencia.

16. ¿A qué edad se debe comenzar con la medida preventiva "instruir sobre el riesgo que entraña para la salud el consumo de sustancias tóxicas como el alcohol, productos químicos, etc."?

a) Infancia temprana.
b) Edad preescolar.
c) Edad escolar.
d) Adolescencia.

17. La edad más frecuente de consulta hospitalaria urgente por accidente es:

a) De 1 a 3 años.
b) 23 años.
c) De 6 a 12 años.
d) 6 años.

18. De las siguientes medidas preventivas frente a los accidentes, ¿cuál no corresponde a la edad preescolar?

a) Enseñarle a nadar.
b) Enseñarle las normas básicas de seguridad vial.
c) Cuando viaje en coche debe ir sujeto en los asientos posteriores.
d) Instruir sobre las normas en caso de incendios.

19. ¿Qué es lo más importante en la edad preescolar?

a) La capacidad de asimilación que presenta el niño y su respuesta a los consejos que le dan.
b) El descenso que sufre la curiosidad por explorar los objetos llevándoselos a la boca.
c) El incremento que sufren los accidentes automovilísticos como peatón.
d) El descenso tan importante que sufren las lesiones accidentales por caídas.

20. ¿Qué tipo de accidentes son los que provocan con más frecuencia lesiones graves y mortales en la edad escolar?

a) Intoxicaciones.
b) Automovilísticos.
c) Ahogamiento.
d) Caídas.

21. ¿Cuál es la segunda causa de muerte en las niñas de edades comprendidas entre 1 -3 años?

a) Intoxicaciones.
b) Quemaduras.
c) Ahogamiento.
d) Lesiones corporales.

Solución al test n.º 24

1. d) Relación paterna inadecuada. (*Ver epígrafe 1.1.3*).

2. a) 1 – 3 años. (*Ver epígrafe 1*).

3. c) La promoción. (*Ver epígrafe 3*).

4. b) Edad preescolar. (*Ver epígrafe 2.1.2*).

5. c) Ahogamiento. (*Ver epígrafe 1.1.1*).

6. a) Automovilísticos. (*Ver epígrafe 1.1.1*).

7. c) Instruir sobre el riesgo que entraña para la salud el fumar. (*Ver epígrafe 2.1.3*).

8. b) Edad preescolar. (*Ver epígrafe 2.1.2*).

9. c) Cocina. (*Ver epígrafe 1.1.1*).

10. b) Edad preescolar. (*Ver epígrafe 2.1.2*).

11. b) La vigilancia. (*Ver epígrafe 3*).

12. c) Las intoxicaciones. (*Ver epígrafe 1*).

13. c) Edad escolar. (*Ver epígrafe 2.1.3*).

14. b) 3. (*Ver epígrafe 1*).

15. c) Edad escolar. (*Ver epígrafe 2.1.3*).

16. c) Edad escolar. (*Ver epígrafe 2.1.3*).

17. b) 23 años. (*Ver epígrafe 1*).

18. d) Instruir sobre las normas en caso de incendios. (*Ver epígrafe 2.1.2*).

19. a) La capacidad de asimilación que presenta el niño y su respuesta a los consejos que le dan. (*Ver epígrafe 1.1.2*).

20. b) Automovilísticos. (*Ver epígrafe 1.1.3*).

21. b) Quemaduras. (*Ver epígrafe 1.1.1*).

TEST N.º 25

Primeros auxilios en la infancia

1. Ante una emergencia sanitaria, el orden en que se deben valorar las funciones vitales es:

a) Primero la consciencia, luego la respiración y después la circulación.
b) Primero la respiración, luego la circulación y finalmente la consciencia.
c) Primero la circulación, luego la conciencia y después la respiración.
d) Primero la consciencia, luego la circulación y finalmente la respiración.

2. En un niño que está consciente, respira y tiene signos de circulación, son datos que sugieren gravedad todos los siguientes, excepto uno:

a) La frialdad extrema de la piel.
b) El llanto fuerte.
c) La respiración muy acelerada o muy lenta.
d) La coloración azulada.

3. Para comprobar si un lactante está consciente o inconsciente, se debe proceder a:

a) Colocarle un termómetro y medir su temperatura.
b) Observar la coloración de su piel.
c) Gritarle, llamándolo, y estimularlo, con golpecitos o pellizcos en hombros, brazos o plantas de los pies.
d) Contar su número de respiraciones por minuto.

4. Si se comprueba que un niño no responde (no se mueve, no llora, no habla, etc.) cuando se le estimula, lo que debe hacerse de inmediato es:

a) Gritar solicitando ayuda a las personas de alrededor y, de inmediato, abrir la vía aérea.
b) Iniciar masaje cardíaco.

c) Salir corriendo en busca de ayuda.
d) Dejarlo descansar unos minutos.

5. En las personas inconscientes debe abrirse la vía aérea. Para ello, generalmente se recurre a la maniobra:

a) De Heimlich.
b) De Blumberg.
c) De Kernig.
d) Frente-mentón.

6. La maniobra frente-mentón provoca la extensión del cuello; señale la respuesta más correcta:

a) Dicha extensión debe ser moderada en niños pequeños.
b) La extensión debe ser neutra en los lactantes.
c) La extensión del cuello en los adultos debe ser máxima.
d) Todas las respuestas anteriores son ciertas.

7. En el niño inconsciente, una vez abierta la vía aérea, se debe comprobar la respiración. Para hacerlo correctamente es apropiado recordar las palabras:

a) Gritar y sacudir (estimular).
b) Buscar signos de vida.
c) Ver, oír y sentir.
d) Insuflar.

8. Tanto para comprobar la respiración como para comprobar la circulación deben emplearse, como máximo:

a) 1 minuto.
b) 6 segundos.
c) 10 segundos.
d) 15 segundos.

9. Cuando se va a ventilar (es decir, a meter aire en la vía aérea) a un lactante, debe insuflarse aire en su:

a) Boca.
b) Nariz.
c) Orejas.
d) Boca y nariz, simultáneamente.

10. La relación compresiones-ventilación, en la edad pediátrica, es:

a) 30:2.
b) 15:2.

c) 5:2.
d) 15:1.

11. Cuando, por la causa que sea, acontece una hemorragia importante, la medida de Soporte Vital Básico a ejecutar es la:

a) Aplicación de torniquete.
b) Compresión local.
c) Vacunación.
d) Aplicación de pomadas.

12. Si un chico ha sufrido una breve pérdida de conciencia (desvanecimiento o desmayo), nunca debe hacerse algo de lo siguiente:

a) Aflojar las ropas, especialmente a nivel de cuello y abdomen.
b) Impedir la aglomeración de personas a su alrededor.
c) Arroparlo en caso de que tenga frío.
d) Tratar de ponerlo de pie.

13. En los chicos diabéticos que sufren mareo, desvanecimiento, dolor de cabeza (cefalea), malestar general, escalofríos o inquietud, se debe:

a) Dar azúcar, pues es probable que tenga hipoglucemia.
b) No dar nunca azúcar.
c) Ventilar boca a boca.
d) Dar masaje cardíaco.

14. En un chico que ha vomitado, una vez superado el episodio, y para prevenir que, en caso de que se repita, el vómito pase a la vía aérea, la posición a adoptar es:

a) Tendido boca abajo.
b) Incorporado o tendido de lado.
c) En cuclillas.
d) Tendido boca arriba con la cabeza más baja que los pies.

15. Frente a los envenenamientos, lo más importante a hacer es:

a) Prevenirlos.
b) Tranquilizarse.
c) Provocar siempre el vómito.
d) Facilitar la respiración de aire puro.

16. Ante un niño con fiebre, y antes de proceder a la preceptiva consulta médica, no se debe:

a) Aligerar al crío de ropa, colocándolo en una habitación a buena temperatura, donde no pase frío.
b) Colocarle compresas de agua fría o helada.

c) Evitar las friegas con alcohol.
d) Darle un baño con agua tibia, a la que se le va añadiendo agua fresca.

17. Si un niño sufre una crisis convulsiva, no se debe:

a) Tender al chico y evitar, en lo posible, que se golpee.
b) Sujetar fuertemente al chico, evitando los movimientos convulsivos.
c) Tratar de impedir que se muerda la lengua.
d) Vigilarlo en tanto llega la ayuda médica.

18. Si un chico sufre una herida, la actuación inicial incluye todo lo siguiente, excepto:

a) Tranquilizar y consolar a la víctima.
b) Limpiar la herida con agua o agua oxigenada abundantes.
c) Secar la herida, una vez limpia, con una gasa estéril.
d) Hurgar en las zonas más profundas por si hubiera restos de algún material que eliminar.

19. Ante un chico que ha sufrido quemaduras, del grado y extensión que sean, las medidas iniciales a ejecutar son todas las que se mencionan, excepto:

a) Retirar a la víctima de la fuente quemante.
b) Retirar todos los objetos adheridos a la piel, incluso aquellos que estén muy pegados.
c) Lavar con agua abundante durante 5-10 minutos (más si la quemadura es por una sustancia química).
d) Aplicar compresas estériles húmedas a toda la zona quemada, sin utilizar –en las quemaduras de tercer grado– ningún tipo de pomada.

20. Respecto a los traumatismos, señale la opción falsa:

a) Las contusiones son lesiones traumáticas derivadas de golpes que pueden afectar a la piel, sin romperla, o a órganos internos (cerebro, bazo, hígado, riñones, pulmón, etc.).
b) Los esguinces son lesiones traumáticas que afectan a los ligamentos que conforman las articulaciones (uniones de unos huesos con otros).
c) Las luxaciones son lesiones traumáticas que ocasionan la rotura parcial de un hueso.
d) Las fracturas son lesiones traumáticas que afectan a los huesos, consistentes en la rotura de los mismos.

21. Respecto a las contusiones, señale la opción verdadera:

a) Las que afectan a la piel se manifiestan especialmente por un gran sangrado local.
b) Las que afectan a la piel, casi siempre requieren intervención quirúrgica.
c) Las que afectan a órganos internos, rara vez pueden comprometer la vida.
d) Las que afectan a órganos internos pueden ser muy peligrosas, debiéndose inicialmente valorarlas evaluando la conciencia, la respiración y la circulación.

22. Los esguinces que con más frecuencia afectan a los niños son los de:

a) Tobillos y rodillas.
b) Tobillos y codos.
c) Codos y muñecas.
d) Tobillos y muñecas.

23. Una de las luxaciones más frecuentes en los niños pequeños es la que afecta a la articulación del:

a) Codo.
b) Rodilla.
c) Hombro.
d) Tobillo.

24. La mayoría de las lesiones por traumatismo requieren, como tratamiento inicial:

a) Lavado con agua abundante.
b) Cirugía urgente.
c) Transplante de órgano.
d) Inmovilización.

25. Ante la sospecha de fractura, nunca es conveniente:

a) Controlar la hemorragia y limpiar la herida (según lo expuesto en los apartados respectivos) en caso de fractura abierta.
b) Proceder a la inmovilización de la misma.
c) Trasladar a la víctima a un centro hospitalario.
d) Hacer reposar al afectado sobre la zona lesionada.

26. Las fracturas de miembros deben sospecharse por todo lo siguiente, excepto:

a) Inmovilidad absoluta e intenso dolor del miembro.
b) Color negruzco de la zona.
c) Deformidad del miembro, con posible acortamiento del mismo respecto al otro, y posterior hinchazón y hematoma locales.
d) Crujido (crepitación) de la zona en caso de manipulación.

27. Un método muy asequible para la inmovilización es el entablillado de la fractura; señale lo falso en lo referente a esto:

a) Puede recurrirse, para su confección, a materiales fáciles de conseguir: tablas, palos (de escoba, fregona, etc.), cartones rígidos...
b) Debe extenderse desde más debajo de la articulación inferior a más arriba de la articulación superior al hueso roto.

c) La sujeción de la tablilla puede hacerse con una venda o, en su ausencia, con tiras de tela, corbatas, cinturones...

d) La inmovilización siempre debe ejercer una presión fuerte sobre la zona lesionada.

28. Con respecto al ahogamiento o "casiahogamiento", señale lo falso:

a) Es una causa frecuente de muerte accidental en los niños, especialmente en los grupos de 1-3 años y 8-12 años.

b) Si el niño está consciente y sin aparente problema, no es necesario vigilarlo ni solicitar valoración médica.

c) Debe cuidarse la columna cervical y, al mismo tiempo, evitar que, de aparecer vómito, éste pase a la vía aérea.

d) Siempre debe considerarse la posibilidad de que el chico sufra una hipotermia, por lo que se debe facilitar el calentamiento.

29. Por lo que hace referencia al manejo inicial del niño que sufre la entrada de un cuerpo extraño en el ojo, señale lo falso:

a) Debe evitarse que el crío se frote los ojos.

b) Si a pesar del lagrimeo, el cuerpo extraño no sale espontáneamente, se debe efectuar un lavado ocular con agua tibia.

c) Si con el lavado no se logra sacar el cuerpo extraño, puede tirarse suavemente del párpado y, si se ve, tratar de sacarlo con una torunda o mecha de algodón o con la punta de un pañuelo limpio.

d) Si el cuerpo extraño está introducido en el propio globo ocular, debe extraerse a toda costa.

30. La actuación inicial ante un niño que presenta una hemorragia nasal no incluye:

a) Tranquilizar al niño e invitarle a mantener reposo absoluto en posición semiincorporado.

b) Comprimir la fosa nasal sangrante con los dedos y, aún mejor, con un paño empapado en agua fría, durante unos minutos.

c) Hacer que el chico se tumbe boca arriba.

d) Introducir, si no cede con lo anterior, una mecha de algodón empapada en agua oxigenada en la fosa nasal sangrante.

Solución al test n.º 25

1. a) Primero la consciencia, luego la respiración y después la circulación.*(Ver epígrafe 1).*

2. b) El llanto fuerte. *(Ver epígrafe 1).*

3. c) Gritarle, llamándolo, y estimularlo, con golpecitos o pellizcos en hombros, brazos o plantas de los pies. *(Ver epígrafe 2).*

4. a) Gritar solicitando ayuda a las personas de alrededor y, de inmediato, abrir la vía aérea. *(Ver epígrafe 2).*

5. d) Frente-mentón. *(Ver epígrafe 2).*

6. d) Todas las respuestas anteriores son ciertas. *(Ver epígrafe 2).*

7. c) Ver, oír y sentir. *(Ver epígrafe 2).*

8. c) 10 segundos. *(Ver epígrafe 2).*

9. d) Boca y nariz, simultáneamente. *(Ver epígrafe 3).*

10. a) 30:2. *(Ver epígrafe 4).*

11. b) Compresión local. *(Ver epígrafe 6).*

12. d) Tratar de ponerlo de pie. *(Ver epígrafe 7).*

13. a) Dar azúcar, pues es probable que tenga hipoglucemia. *(Ver epígrafe 8).*

14. b) Incorporado o tendido de lado. *(Ver epígrafe 9).*

15. a) Prevenirlos. *(Ver epígrafe 10).*

16. b) Colocarle compresas de agua fría o helada. *(Ver epígrafe 11).*

17. b) Sujetar fuertemente al chico, evitando los movimientos convulsivos. *(Ver epígrafe 12).*

18. d) Hurgar en las zonas más profundas por si hubiera restos de algún material que eliminar. *(Ver epígrafe 13).*

19. b) Retirar todos los objetos adheridos a la piel, incluso aquellos que estén muy pegados. *(Ver epígrafe 14).*

20. c) Las luxaciones son lesiones traumáticas que ocasionan la rotura parcial de un hueso. *(Ver epígrafe 16).*

21. d) Las que afectan a órganos internos pueden ser muy peligrosas, debiéndose inicialmente valorarlas evaluando la conciencia, la respiración y la circulación. *(Ver epígrafe 16).*

22. d) Tobillos y muñecas. *(Ver epígrafe 16).*

23. c) Hombro. *(Ver epígrafe 16).*

24. d) Inmovilización. *(Ver epígrafe 16).*

25. d) Hacer reposar al afectado sobre la zona lesionada. *(Ver epígrafe 16).*

26. b) Color negruzco de la zona. *(Ver epígrafe 16).*

27. d) La inmovilización siempre debe ejercer una presión fuerte sobre la zona lesionada. *(Ver epígrafe 16).*

28. b) Si el niño está consciente y sin aparente problema, no es necesario vigilarlo ni solicitar valoración médica. *(Ver epígrafe 17).*

29. d) Si el cuerpo extraño está introducido en el propio globo ocular, debe extraerse a toda costa. *(Ver epígrafe 18).*

30. c) Hacer que el chico se tumbe boca arriba. *(Ver epígrafe 19).*

Bloque Temático IV: Aspectos pedagógicos

Índice de test

TEST N.º 26

Influencia de las principales corrientes psicopedagógicas en la Educación infantil. Visión actual de sus aportaciones. Experiencias renovadoras relevantes

1. ¿De quién es el modelo de la intuición global?

a) Juan Enrique Pestalozzi.
b) William Heard Kilpatrick.
c) Federico Fröebel.
d) María Montessori.

2. ¿De quién es el modelo de la reflexión lúdica?

a) Juan Enrique Pestalozzi.
b) William Heard Kilpatrick.
c) Federico Fröebel.
d) María Montessori.

3. ¿De quién es el modelo de la educación integral?

a) Juan Enrique Pestalozzi.
b) William Heard Kilpatrick.
c) Federico Fröebel.
d) María Montessori.

4. ¿De quién es el modelo de los periodos sensibles?

a) Juan Enrique Pestalozzi.
b) William Heard Kilpatrick.
c) Federico Fröebel.
d) María Montessori.

5. ¿De quién es el modelo de la iniciativa propia?

a) María Montessori.
b) Hermanas Agazzi.

c) Ovidio Decroly.
d) Celestin Freinet.

6. ¿De quién es el modelo de la Escuela para la vida, por la vida?

a) María Montessori.
b) Hermanas Agazzi.
c) Ovidio Decroly.
d) Celestin Freinet.

7. ¿De quién es el modelo del tanteo experimental?

a) María Montessori.
b) Hermanas Agazzi.
c) Ovidio Decroly.
d) Celestin Freinet.

8. El modelo de condicionamiento es de:

a) Skinner.
b) Piaget.
c) Vigotsky.
d) Bruner.

9. El modelo de la pedagogía operatoria es de:

a) Skinner.
b) Piaget.
c) Vigotsky.
d) Bruner.

10. ¿Cómo se llaman los Jardines de Infancia que creó Froebel?

a) Spielstube.
b) Childschool.
c) Kindergarten.
d) Ecole Enfant.

11. ¿Qué significa puerocentrismo?

a) La atención al niño/a considerando a las familias los principales protagonistas de la educación de su personalidad.

b) La atención al niño/a considerándole el principal protagonista de la educación de su personalidad.

c) La atención al niño/a considerándole el principal protagonista de la educación de su lenguaje.
d) Ninguna definición es correcta.

12. "Los niños/as se tratan como seres competentes, alentados a tomar decisiones importantes" es un aspecto perteneciente al:

a) Modelo de los periodos sensibles.
b) Modelo de la iniciativa propia.
c) Modelo de la Escuela para la vida, por la vida.
d) Modelo del tanteo experimental.

13. La idea que "la mente no responde directamente a los estímulos ambientales, sino a las representaciones que se forman de ellos" pertenece al:

a) Modelo de Vigostky.
b) Modelo de la iniciativa propia.
c) Modelo de Bruner.
d) Modelo de Piaget.

14. La teoría de la Gestalt es de:

a) Burner.
b) Piaget.
c) Wertheimer.
d) Skinner.

15. ¿De cuántas fases consta todo proceso de construcción genética según el Constructivismo Genético?

a) Una.
b) Dos.
c) Tres.
d) Cuatro.

16. ¿Cuál es el elemento esencial de la teoría de Ausubel?

a) La instrucción.
b) La corrección.
c) La intuición.
d) Ninguna respuesta es correcta.

17. ¿De quién es la idea de la "zona del desarrollo próximo"?

a) Bruner.
b) Skinner.

c) Vygotsky.
d) Piaget.

18. ¿Cómo se llaman los principales representantes de la teoría del Procesamiento de Información?

a) Gagné, Newell, Simon, Mayer, Pascual y Leone.
b) Gagné, Newton, Simon, Mayer, Pascual y Leone.
c) Gagné, Newell, Suárez, Mayer, Pascual y Leone.
d) Gagné, Newell, Simon, Mayorga, Pascual y Leone.

19. ¿Cómo se llaman los movimientos que explican la construcción de los conocimientos según el constructivismo?

a) Asimilación.
b) Acomodación.
c) Adoración.
d) Las respuestas a) y b) son correctas.

20. Abordar los contenidos de la etapa de Educación Infantil en una perspectiva globalizadora supone proponer a los niños/as:

a) Secuencias de aprendizajes.
b) Elaboración de proyectos.
c) Resolución de problemas.
d) Todas las respuestas son correctas.

21. Señala el enunciado correcto sobre la pedagogía de Reggio Emilia:

a) Reggio Emilia es una pedagoga que creo el método Malaguzzi.
b) Malaguzzi y la filosofía de Reggio Emilia tienen su origen en el sur de Italia.
c) Es una iniciativa educativa que ocurre después de la Segunda Guerra Mundial, cuando numerosas mujeres se habían quedado viudas y tenían que trabajar fuera de casa precisando de un lugar donde poder dejar a sus hijos.
d) Es una iniciativa promovida por la Iglesia Católica.

Solución al test n.º 26

1. a) Juan Enrique Pestalozzi. *(Ver epígrafe 1.1).*

2. b) William Heard Kilpatrick. *(Ver epígrafe 1.1).*

3. c) Federico Fröebel. *(Ver epígrafe 1.1).*

4. d) María Montessori. *(Ver epígrafe 1.1).*

5. b) Hermanas Agazzi. *(Ver epígrafe 1.1).*

6. c) Ovidio Decroly. *(Ver epígrafe 1.1).*

7. d) Celestin Freinet. *(Ver epígrafe 1.1).*

8. a) Skinner. *(Ver epígrafe 1.2).*

9. b) Piaget. *(Ver epígrafe 1.2).*

10. c) Kindergarten. *(Ver epígrafe 2.1).*

11. b) La atención al niño/a considerándole el principal protagonista de la educación de su personalidad. *(Ver epígrafe 2.1).*

12. a) Modelo de los periodos sensibles. *(Ver epígrafe 2.1).*

13. d) Modelo de Piaget. *(Ver epígrafe 2.2).*

14. c) Wertheimer. *(Ver epígrafe 3.1).*

15. b) Dos. *(Ver epígrafe 3.2).*

16. a) La instrucción. *(Ver epígrafe 3.2).*

17. c) Vygotsky. *(Ver epígrafe 3.3).*

18. a) Gagné, Newell, Simon, Mayer, Pascual y Leone. *(Ver epígrafe 3.4).*

19. d) Las respuestas a) y b) son correctas. *(Ver epígrafe 4).*

20. d) Todas las respuestas son correctas. *(Ver epígrafe 5).*

21. c) Es una iniciativa educativa que ocurre después de la Segunda Guerra Mundial, cuando numerosas mujeres se habían quedado viudas y tenían que trabajar fuera de casa precisando de un lugar donde poder dejar a sus hijos. *(Ver epígrafe 2.1).*

TEST N.º 27

Orientaciones y criterios metodológicos

1. El aprendizaje significativo es un concepto acuñado por:

a) Piaget.
b) Vigotsky.
c) Ausubel.
d) González Lucini.

2. El aprendizaje significativo se define por (señale lo incorrecto):

a) Su funcionalidad.
b) La memorización comprensiva.
c) Una intensa actividad mental.
d) La memoria repetitiva.

3. Sobre la evaluación del aprendizaje significativo, señale lo incorrecto:

a) Se evalúa la aplicabilidad, la transferencia.
b) Se evalúan las capacidades.
c) Se evalúan los saberes principalmente.
d) No se evalúa solo el resultado, sino el proceso.

4. ¿Cuál de los siguientes autores es el impulsor de la globalización desde el punto de vista didáctico?

a) Piaget.
b) Vigotsky.
c) Ausubel.
d) Decroly.

5. Las fases implicadas en el proceso de aprendizaje siguiendo el principio de la globalización son (señale el orden correcto):

a) Asociación, observación y expresión.
b) Observación, asociación y expresión.

c) Expresión, observación y expresión.
d) No hay un orden lógico, en cada alumno se puede dar de una forma.

6. Entre los principios metodológicos propios de la Educación Infantil no se incluye:

a) Actividad.
b) Juego.
c) Significatividad.
d) Interdisciplinariedad.

7. El aprendizaje significativo es un principio de aprendizaje propuesto por Ausubel en el marco del constructivismo. ¿Cuál de las siguientes alternativas contiene un sutil error?

a) El aprendizaje significativo parte de lo que el alumno sabe o está en condiciones de saber.

b) El aprendizaje significativo requiere que el material de conocimiento sea potencialmente significativo, tanto desde la estructura lógica del área como desde la estructura psicológica del alumno.

c) Debe proporcionar situaciones de aprendizaje que exijan una intensa actividad manipulativa y mental-interna que le lleve a reflexionar y justificar sus actuaciones.

d) Los aprendizajes significativos deben poder utilizarse en la resolución de problemas, es decir, deben ser funcionales.

8. Con respecto a la organización del ambiente en Educación Infantil, podemos afirmar que:

a) Se deben buscar organizaciones rígidas.
b) Son preferibles las organizaciones excesivamente especializadas.
c) Debe hacer posible el reposo y el sueño de los más pequeños.
d) Todas son correctas.

9. La existencia del equipo educativo:

a) Es indispensable para asegurar una coherencia y continuidad en la acción docente.
b) No es necesaria en Educación Infantil.
c) Aunque en Educación Infantil no es necesaria, sí es recomendable.
d) Es necesaria para prevenir el absentismo de etapas posteriores.

10. A continuación se citan algunos enunciados en relación a la metodología del primer ciclo de Educación Infantil. Señala el incorrecto:

a) La atención hacia el niño será cálida y afectiva.
b) El educador debe prevenir dificultades y promover una intervención temprana.

c) Las relaciones con la familia se desarrollan de forma personalizada y continua basándose en los progresos del niño.

d) Debido al fuerte egocentrismo de los niños a esta edad, la socialización se desarrolla de forma más preferente en el segundo ciclo que en el primero.

11. Uno de los siguientes enunciados respecto al juego no es íntegramente correcto:

a) Los materiales y el escenario no son lo importante.

b) El juego debe ser interesante y lúdico para los niños.

c) La definición de juego es muy amplia, por lo que toda la actividad que el niño desarrolla puede ser considerado juego.

d) El juego ha de ser libremente elegido o participar gustoso de las sugerencias.

12. La actividad es uno de los principales principios metodológicos en todo el Sistema educativo. Cuál de los siguientes enunciados no es totalmente correcto:

a) Una enseñanza activa es aquella que provoca "conflictos cognitivos" en los alumnos.

b) La actividad educativa "es el trabajo intelectual y manual formativo basado en las necesidades e intereses del niño, en su capacidad de investigar y en su disposición para crear".

c) La actividad mental requiere de la actividad manipulativa.

d) El constructivismo implica la enseñanza activa.

13. A continuación se exponen una serie de definiciones sobre algunos de los principios metodológicos más importantes de la Educación Infantil. Señala el falso:

a) La intuición es el conocimiento directo, inmediato y cierto de un objeto o fenómeno real, concreto o de ideas, relaciones, valores.

b) La individualización es atender individualmente a cada uno de los alumnos en la adquisición de niveles básicos de referencia, en función de sus capacidades y posibilidades.

c) La socialización es el proceso a adaptación e integración con los iguales, la interiorización de hábitos de socialización, el conocimiento de normas y el desarrollo de actitudes sociales.

d) La observación es la forma básica de conocimiento a través del sentido de la vista.

14. La Escuela Nueva es una corriente pedagógica nacida en los inicios del siglo XX, que intenta revolucionar las técnicas empleadas por "la escuela tradicional". Cuál de los siguientes es uno de sus principios:

a) Paidocentrismo.

b) Aprendizaje significativo.

c) Naturalismo.

d) Refuerzos .

15. Para contribuir a promover la creatividad el profesor deberá seguir normas del tipo de las que indicamos, excepto:

a) Fomentar la presencia de interrogantes.
b) Intentar evitar la rutina y buscar nuevas técnicas y métodos de trabajo.
c) Desarrollar un clima de relaciones humanas cordiales.
d) Dar instrucciones muy precisas para realizar las actividades.

16. ¿A qué nos referimos cuando hablamos de escuela vitalista?

a) El niño no debe aprender para la escuela, sino aprender para la vida.
b) La espontaneidad del educando se respetará en todo momento.
c) El niño ocupa el centro de la educación.
d) Se creará un clima propicio para la libertad.

17. Una de las ventajas del aprendizaje colaborativo es:

a) Convierte a los estudiantes en protagonistas de su propio aprendizaje.
b) Refuerza sus relaciones interpersonales.
c) Permite adquirir un aprendizaje significativo.
d) Todas son correctas.

18. El juego es una actividad autotélica. Eso quiere decir que:

a) No tiene más fin que la actividad en sí misma.
b) Es una actividad donde predomina la competición.
c) Es una actividad que requiere una recompensa externa.
d) No requiere materiales específicos para su desarrollo.

19. La *Flipped classroom* es un método de trabajo que propone invertir los roles de la enseñanza tradicional, modelo en el que el profesor explica y los alumnos escuchan y realizan los deberes en su casa. ¿Con que otro nombre se la conoce?

a) Pedagogía no directiva.
b) Pedagogía aplicada.
c) Pedagogía inversa.
d) Pedagogía directa.

20. La gamificación es una corriente metodológica apoyada en el juego. ¿Cuál de los siguientes no es un atributo o cualidad del juego?

a) Se localiza en un momento evolutivo del desarrollo.
b) Libre.
c) Autotético.
d) Lúdico.

Solución al test n.º 27

1. c) Ausubel. *(Ver epígrafe 1).*

2. d) La memoria repetitiva. *(Ver epígrafe 1.1).*

3. c) Se evalúan los saberes principalmente. *(Ver epígrafe 1.2).*

4. d) Decroly. *(Ver epígrafe 2).*

5. b) Observación, asociación y expresión. *(Ver epígrafe 2).*

6. d) Interdisciplinariedad. *(Ver epígrafe 1./3./4).*

7. a) El aprendizaje significativo parte de lo que el alumno sabe o está en condiciones de saber. *(Ver epígrafe 1).*

8. c) Debe hacer posible el reposo y el sueño de los más pequeños. *(Ver epígrafe 6).*

9. a) Es indispensable para asegurar una coherencia y continuidad en la acción docente. *(Ver epígrafe 7).*

10. d) Debido al fuerte egocentrismo de los niños a esta edad, la socialización se desarrolla de forma más preferente en el segundo ciclo que en el primero. *(Ver epígrafe 5./8./11).*

11. a) Los materiales y el escenario no son lo importante. *(Ver epígrafe 4).*

12. c) La actividad mental requiere de la actividad manipulativa. *(Ver epígrafe 3).*

13. d) La observación es la forma básica de conocimiento a través del sentido de la vista. *(Ver epígrafe 9./10./11).*

14. a) Paidocentrismo. *(Ver epígrafe 15).*

15. d) Dar instrucciones muy precisas para realizar las actividades. *(Ver epígrafe 14).*

16. a) El niño no debe aprender para la escuela, sino aprender para la vida. *(Ver epígrafe 15).*

17. d) Todas son correctas. *(Ver epígrafe 16.1).*

18. a) No tiene más fin que la actividad en sí misma. *(Ver epígrafe 16.3).*

19. c) Pedagogía inversa. *(Ver epígrafe 16.2).*

20. a) Se localiza en un momento evolutivo del desarrollo. *(Ver epígrafe 16.3).*

TEST N.º 28

La evaluación: funciones, estrategias e instrumentos

1. La evaluación que posibilita una continua interacción y ajuste entre los elementos que participan en el sistema (alumno/profesor/programa), se llama evaluación:

a) Inicial.
b) Continua.
c) Final.
d) Educativa.

2. Las funciones que cumple la evaluación en el proceso de enseñanza - aprendizaje son:

a) Función homogeneizadora, formativa sumativa y orientadora.
b) Función compensadora, formativa, orientadora e integradora.
c) Función homogeneizadora, formativa, reguladora y orientadora.
d) Función Formativa, orientadora, sumativa y valorativa.

3. ¿Cuál de las siguientes no es una característica de la evaluación en la Educación Infantil?

a) Dado que los ritmos madurativos son diferentes se requiere de una evaluación individualizada.
b) En los decretos del currículum se contienen los criterios de evaluación y promoción de cada nivel educativo.
c) En la educación Infantil la evaluación es especialmente cualitativa.
d) Una de las funciones fundamentales de la evaluación consiste en ajustar programas y recursos metodológicos a las características individuales de cada niño.

4. La coevaluación:

a) Supone la autorreflexión y conclusiones personales por parte de cualquiera de los implicados en el proceso.
b) Implica la reflexión conjunta y recíproca entre dos o más miembros del proceso educativo.

c) Es la evaluación que se extiende a la misma evaluación.
d) Ninguna es correcta.

5. Los momentos básicos de la evaluación son:

a) Inicial, continua y sumativa.
b) Toda la evaluación ha de ser formativa.
c) Global.
d) Inicial y final.

6. En relación a las técnicas de evaluación, cuál de las siguientes NO es un instrumento propio de la Educación Infantil:

a) Análisis de sus producciones.
b) Observación sistemática del proceso de aprendizaje.
c) Controles.
d) Observador.

7. ¿Qué aspectos del desarrollo mide la Escala de Wechsler?

a) Aspectos biológicos.
b) La inteligencia.
c) El desarrollo motor.
d) El desarrollo lingüístico.

8. Una de las siguientes no es un requisito exigible a los procedimientos de evaluación:

a) Ser variados.
b) Dar información concreta.
c) Utilizar distintos códigos.
d) Deben implicar la participación del alumno.

9. Todas las siguientes son pruebas de evaluación adecuadas para la Educación Infantil basadas en la observación directa, excepto:

a) Los diarios de clase.
b) Análisis de las producciones de los alumnos.
c) Los anecdotarios.
d) Grabaciones.

10. ¿Cuál de las siguientes no es una prueba de observación directa?

a) Asamblea.
b) Diario.

c) Sociograma.
d) Grabación.

11. ¿Cuál de las siguientes afirmaciones sobre la evaluación es correcta?

a) La evaluación es un proceso.
b) La evaluación es un elemento integrado en el proceso educativo.
c) La evaluación es un acto riguroso y sistemático.
d) Todas lo son.

12. ¿Cuál es la primera fase en el proceso de evaluación?

a) Toma de decisiones.
b) Recogida de información.
c) Fijación de objetivos.
d) Análisis de los resultados.

13. La evaluación en educación infantil se caracteriza por ser:

a) Cualitativa y continua.
b) Cuantitativa y continua.
c) Cualitativa y circunstancial.
d) Cuantitativa y circunstancial.

14. El referente básico de la evaluación (qué evaluar) son:

a) Las producciones de los alumnos en forma de trabajos y fichas.
b) Los objetivos generales de la etapa y de las áreas.
c) El desarrollo psico-social del alumno.
d) El entorno familiar.

15. ¿Qué tipo de evaluación tiene una función de diagnóstico?

a) Inicial.
b) Continua.
c) Final.
d) Sumativa.

16. ¿A qué tipo de evaluación corresponde la siguiente característica: "Permite la retroalimentación de un sistema"?

a) Inicial.
b) Continua.
c) Sumativa.
d) A todas las anteriores.

17. ¿Cuál de las siguientes no es una característica de la evaluación sumativa?

a) Se sitúa al final de un proceso de enseñanza/aprendizaje, con independencia de la duración del mismo.
b) Su finalidad es proporcionar un balance de los resultados obtenidos y los procesos seguidos.
c) La finalidad es la de determinar el grado de efectividad de los procesos de enseñanza/aprendizaje seguidos.
d) Todas las anteriores lo son.

18. Señala la afirmación correcta sobre la evaluación inicial:

a) Busca identificar las características diferenciales (diagnóstico) para poder lograr un mejor ajuste de los procesos de enseñanza aprendizaje.
b) Se refiere a la evaluación de los conocimientos previos de un alumno.
c) Esta modalidad de evaluación es la que remarca la función orientadora y formativa que toda evaluación ha de tener.
d) La finalidad de la evaluación inicial es la de determinar el grado de efectividad de los procesos de enseñanza/aprendizaje seguidos.

19. Cuando, para obtener los datos de una observación, el evaluador se incluye en el grupo, hecho o fenómeno observado, para conseguir la información "desde adentro" hablamos de:

a) Observación directa.
b) Observación indirecta.
c) Observación participante.
d) Observación de campo.

20. En relación con la evaluación de los materiales curriculares se llevará a cabo de acuerdo con todos los siguientes criterios, excepto:

a) De rentabilidad.
b) De capacidad de atención a la diversidad.
c) De mantenimiento.
d) De fiabilidad.

Solución al test n.º 28

1. b) Continua. *(Ver epígrafe 2).*

2. a) Función homogeneizadora, formativa sumativa y orientadora. *(Ver epígrafe 1.2).*

3. b) En los decretos del currículum se contienen los criterios de evaluación y promoción de cada nivel educativo. *(Ver epígrafe 1.2).*

4. b) Implica la reflexión conjunta y recíproca entre dos o más miembros del proceso educativo. *(Ver epígrafe 3.1).*

5. a) Inicial, continua y sumativa. *(Ver epígrafe 1.2).*

6. c) Controles. *(Ver epígrafe 3.1).*

7. b) La inteligencia. *(Ver epígrafe 3.2.1).*

8. d) Deben implicar la participación del alumno. *(Ver epígrafe 3).*

9. b) Análisis de las producciones de los alumnos. *(Ver epígrafe 3.1).*

10. c) Sociograma. *(Ver epígrafe 3.1).*

11. d) Todas lo son. *(Ver epígrafe 1).*

12. c) Fijación de objetivos. *(Ver epígrafe 1).*

13. a) Cualitativa y continua. *(Ver epígrafe 1.2).*

14. b) Los objetivos generales de la etapa y de las áreas. *(Ver epígrafe 1.2).*

15. a) Inicial. *(Ver epígrafe 2).*

16. b) Continua. *(Ver epígrafe 2).*

17. d) Todas las anteriores lo son. *(Ver epígrafe 2).*

18. a) Busca identificar las características diferenciales (diagnóstico) para poder lograr un mejor ajuste de los procesos de enseñanza aprendizaje. *(Ver epígrafe 2).*

19. c) Observación participante. *(Ver epígrafe 4).*

20. d) De fiabilidad. *(Ver epígrafe 1.1.1).*

TEST N.º 29

Recursos educativos en Educación Infantil: organización de espacios y tiempos. Ritmos y rutinas cotidianas. Materiales didácticos

1. Uno de los criterios pedagógicos que deben tenerse en cuenta en la organización de la escuela infantil según Gairín Sallan es:

a) La adaptabilidad, que se refiere a la posibilidad, de que un edificio pueda admitir cambios. Es decir, que se puedan eliminar o sumar elementos en el edificio.
b) Variabilidad. Locales de distintas dimensiones permiten más posibilidades de agrupamiento y utilización del edificio.
c) Comunicabilidad. La comunicación interna debe favorecer los desplazamientos de forma directa y fácil.
d) Todas son correctas.

2. ¿Qué autoras proponen que el horario y el espacio se distribuyen teniendo en cuenta el hogar materno, y por ello las actividades se planifican con el fin de no interferir con el ritmo de la familia?

a) María Montessori.
b) Rosa y Carolina Agazzi.
c) Decroly.
d) Piaget.

3. Según Goldschmied el espacio exterior debe facilitar:

a) Actividad motriz.
b) Juegos de fantasía.
c) Experiencia con la naturaleza.
d) Todas son correctas.

4. De forma general, el espacio exterior del centro de educación infantil debe ser:

a) Suelo exclusivamente de arena, nunca de pavimento.
b) Suelo limpio de materiales de obra.
c) Ausencia de mobiliario exterior para dejar más espacio al movimiento.
d) Todas son correctas.

5. Señale la afirmación correcta sobre los rincones:

a) El rincón de juego simbólico es más adecuado para niños de 0 a 3 años.
b) El rincón de experimentación incluye puzles, dominós de imágenes, autodidácticos, bloques lógicos, imprenta, etc.
c) El rincón de la tranquilidad suele ubicarse alejado de la zona de paso y movimiento.
d) Todas son correctas.

6. Una de las tareas del educador en la configuración de los rincones consiste en:

a) Preparar el espacio y el material de cada rincón.
b) Diseñar el tipo de actividades que se realizarán en cada uno de ellos y presentar diferentes técnicas que permitan a los niños expresarse con materiales variados.
c) Establecer algunas normas básicas sobre la utilización del material en cada rincón, el respeto al turno para la elección, la recogida del material utilizado.
d) Todas son correctas.

7. Señale la afirmación correcta sobre los talleres:

a) La acción de los niños y niñas en los talleres es libre y autónoma.
b) En los talleres las actividades que se presentan están sistematizadas y dirigidas por el educador o educadora.
c) Las actividades en los talleres solo pueden realizarse en gran grupo.
d) Todas son correctas.

8. Uno de los aspectos importantes a considerar en las normas de seguridad de un centro es:

a) Material de limpieza, higiene y medicamentos inaccesibles para los menores.
b) Prohibición absoluta de escaleras en el centro de educación infantil.
c) Zona de juegos exterior sin juguetes ni mobiliario alguno.
d) Todas son correctas.

9. En el centro de educación infantil los espacios de higiene personal:

a) Han de ser limpiados y desinfectados con regularidad.
b) Ha de supervisarse la existencia de elementos y materiales necesarios para llevar cabo todas las acciones higiénicas (papel higiénico, toallas, jabón…).
c) Los elementos deben estar estratégicamente dispuestos para ser accesibles y usarse con comodidad.
d) Todas son correctas.

10. Señale la afirmación correcta sobre la organización del tiempo en la educación infantil.

a) Debe planificarse de forma rígida y dirigida.
b) Cuanto más pequeños sean los niños, mayor rigidez debe haber en los horarios, pues solo así podrán adquirir los hábitos.

c) Es necesario respetar los ritmos biológicos de los niños con las alternancias que en ellos se producen a lo largo de la jornada y adecuar el tipo de actividades a estas fluctuaciones.

d) Cuanto mayores son los niños, más corta es su capacidad de atención y concentración en sus tareas.

11. Las rutinas diarias:

a) Se basan en la repetición de actividades y ritmos.

b) Permiten a los niños prevenir y anticipar situaciones, así como orientarse en el tiempo y en el espacio.

c) Refuerzan los hábitos que generalmente les acompañan.

d) Todas son correctas.

12. Las rutinas de entrada:

a) Tienen lugar una vez que han entrado todos los niños en el aula y están sentados en su sitio.

b) Sirven para trabajar las normas de relación y convivencia: saludar, dar las gracias, etc.

c) Es el momento de realizar el recuento de los niños que faltan.

d) Ninguna de las anteriores es correcta.

13. Dentro de la rutina de salida es importante:

a) Realizar el último cambio de pañal para que el niño llegue a su casa limpio.

b) Tener en cuenta que es el momento del día en que el niño se encuentra más relajado.

c) Utilizar recursos que le anuncien y le ayuden a prever lo que va a pasar (canción de despedida, rituales, etc.).

d) No se debe utilizar este momento para el intercambio de información.

14. Señale la afirmación correcta sobre el sueño del bebé:

a) El recién nacido duerme aproximadamente 20 horas diarias y apenas despierta para satisfacer el hambre.

b) A los 6 meses, el sueño es de unas 14 horas diarias.

c) Al año de edad, el sueño es de unas 10 horas diarias.

d) De 2 a 3 años el niño ya duerme unas 8 horas de noche.

15. La repetición sistemática de respuestas aprendidas ante determinados estímulos, se llama:

a) Normas.

b) Aprendizajes.

c) Hábitos.

d) Rutina.

16. Para la formación de los hábitos en los niños es necesario:

a) El hábito debe proporcionar satisfacción al niño, procuraremos los medios para que asocie la ejecución del hábito con satisfacción.
b) Un ejemplo adecuado por parte de los adultos que rodean al niño.
c) El apoyo y cooperación de los padres para la consolidación de hábitos.
d) Todas son correctas.

17. Señale la afirmación correcta sobre el proceso del control de esfínteres:

a) Realizar esta actividad en grupo cuando acuden a guarderías dificulta el proceso.
b) La edad de inicio en el control de esfínteres no varía de acuerdo con el grado de estimulación, sino que se produce invariablemente entre los 22 y 24 meses.
c) Es muy importante lograr que el proceso del control de esfínteres sea algo natural, no obligado.
d) Todas son correctas.

18. Para que el niño adquiera unos hábitos alimentarios correctos desde pequeño es importante:

a) Que haya una coordinación de las personas que conviven con él a la hora de su alimentación.
b) Que los horarios regulares de las comidas facilitan una buena alimentación.
c) Que una alimentación variada, adecuada y adaptada a las necesidades del niño, es la base de una buena salud.
d) Todas son correctas.

19. El material fungible es:

a) Material de uso cotidiano como papel, lápices, goma, pinceles, acuarelas, tizas.
b) Los materiales comprados, ya pensados para un determinado fin y que responde a unas necesidades educativas.
c) Los materiales que ayudan a desarrollar nuevas formas sociales de trabajo, a respetar, aceptar y compartir.
d) Los materiales que ayudan al niño a tomar conciencia de pertenecer a un grupo.

20. La selección del material en educación infantil se hará en función de:

a) Los objetivos que se planteen dentro de la etapa.
b) El nivel de desarrollo de los niños, sus intereses, preferencias, motivación, maduración.
c) La situación educativa.
d) Todas son correctas.

Solución al test n.º 29

1. a) Todas son correctas. *(Ver epígrafe 1.1.1).*

2. b) Rosa y Carolina Agazzi. *(Ver epígrafe 1.2).*

3. d) Todas son correctas. *(Ver epígrafe 1.1.2).*

4. b) Suelo limpio de materiales de obra. *(Ver epígrafe 1.1.2).*

5. c) El rincón de la tranquilidad suele ubicarse alejado de la zona de paso y movimiento. *(Ver epígrafe 1.2.1).*

6. d) Todas son correctas. *(Ver epígrafe 1.2.1).*

7. b) En los talleres las actividades que se presentan están sistematizadas y dirigidas por el educador o educadora. *(Ver epígrafe 1.2.2).*

8. a) Material de limpieza, higiene y medicamentos inaccesibles para los menores. *(Ver epígrafe 1.4.1).*

9. d) Todas son correctas. *(Ver epígrafe 1.4.2).*

10. c) Es necesario respetar los ritmos biológicos de los niños con las alternancias que en ellos se producen a lo largo de la jornada y adecuar el tipo de actividades a estas fluctuaciones. *(Ver epígrafe 2.1).*

11. d) Todas son correctas. *(Ver epígrafe 3.1).*

12. b) Sirven para trabajar las normas de relación y convivencia: saludar, dar las gracias, etc. *(Ver epígrafe 3.2.1).*

13. c) Utilizar recursos que le anuncien y le ayuden a prever lo que va a pasar (canción de despedida, rituales, etc.). *(Ver epígrafe 3.2.5).*

14. a) El recién nacido duerme aproximadamente 20 horas diarias y apenas despierta para satisfacer el hambre. *(Ver epígrafe 3.2.6).*

15. c) Hábitos. *(Ver epígrafe 3.3.1).*

16. d) Todas son correctas. *(Ver epígrafe 3.3.1).*

17. c) Es muy importante lograr que el proceso del control de esfínteres sea algo natural, no obligado. *(Ver epígrafe 3.3.4).*

18. d) Todas son correctas. *(Ver epígrafe 3.3.5).*

19. a) Material de uso cotidiano como papel, lápices, goma, pinceles, acuarelas, tizas. *(Ver epígrafe 4.2.1).*

20. d) Todas son correctas. *(Ver epígrafe 4.3).*

TEST N.º 30

La organización del aula: actividades y grupos

1. En el primer ciclo de educación infantil:

a) Es importante que se tenga un educador o educadora de referencia en el grupo con el que establecer los primeros vínculos afectivos de dependencia.
b) Es importante que desde el primer momento los niños se relacionen con todos los adultos del centro, con el fin de que no establezca vínculo afectivo con ninguno de ellos y se acostumbre a ser atendido por todos ellos.
c) El grupo de iguales y su relación no se considera un recurso metodológico de este ciclo, aunque sí en el segundo ciclo de educación infantil.
d) b) y c) son correctas.

2. El juego en paralelo aparece a partir de:

a) Los 6 meses.
b) Los 12 meses.
c) 2-3 años.
d) 4-5 años.

3. Según Moreno y Cubero el grupo de iguales es importante porque:

a) Son un campo de entrenamiento privilegiado para el aprendizaje de habilidades sociales.
b) Influyen sobre las características de la personalidad.
c) Contribuyen a crear el sentimiento de pertenencia al grupo.
d) Todas son correctas.

4. Indica cuál de las siguientes habilidades sociales no está presente en el niño de entre 12 y 15 meses:

a) Imita lo que ve.
b) Da las gracias.
c) Distingue entre tú y yo.
d) Pide ayuda al adulto.

5. Uno de los criterios que deben estar presentes a la hora de organizar los grupos es:

a) Partir de la edad del alumnado.
b) Contemplar los ritmos individuales.
c) Respetar la globalidad del alumnado y evitar las segmentaciones arbitrarias.
d) Todas son correctas.

6. Para poder crear un ambiente de seguridad emocional en el aula de educación infantil es necesario:

a) No establecer ningún tipo de normas, ya que coartan la libre expresión de los niños.
b) Ausencia de retos y exigencias, que se dejarán para el comienzo de la educación primaria.
c) La existencia de un ambiente cálido y de una relación personal afectuosa.
d) Todas son correctas.

7. ¿Cuál de los siguientes aspectos supone una ventaja del trabajo en grupo en el ámbito de la educación infantil?

a) No requiere planificación previa de la tarea.
b) Los alumnos a estas edades siempre participan todos, sin excepciones.
c) El egocentrismo propio de estas edades permite sacar el máximo partido de estas formas de trabajo.
d) Es una forma adecuada para entrenarles en la solución de conflictos.

8. El cuento despierta gran interés en los niños, ya que les permite:

a) Comprender hechos, sentimientos de otros.
b) Convertir lo fantástico en real.
c) Identificarse con los personajes.
d) Todas son correctas.

9. Señale la afirmación correcta sobre la asamblea:

a) Solo se realiza en gran grupo.
b) La asamblea ayuda a los niños a ir superando la relación individual con el educador o educadora e ir adquiriendo un sentimiento de pertenencia al grupo.
c) Es el contexto idóneo para que el educador transmita toda la información necesaria, ya que en este momento los niños no participan y es el único momento educativo en que han de permanecer como meros receptores sin participación activa.
d) Todas son correctas.

10. En cuanto a los criterios para seleccionar y organizar los cuentos podemos citar:

a) Las motivaciones y metas de los personajes no deben estar próximas a las del niño, ya que así son más motivantes.
b) La secuencia causa-efecto debe ser muy simple.
c) El material estará desordenado.
d) Todas son correctas.

11. Respecto a la actividad consistente en el relato de acontecimientos cotidianos, podemos decir que:

a) No puede organizarse en cualquier momento, siendo el momento más apropiado, al comienzo del día en la asamblea.
b) No debe ser una actividad breve, cuanto más larga mejor.
c) El educador o educadora debe enseñar a niños y niñas cómo tienen que presentar las cosas cuando las cuentan: les da la palabra, se la dice, les ayuda a terminar sus frases y les pide que terminen las suyas.
d) Todas son correctas.

12. En la organización de los grupos en educación infantil debemos tener en cuenta que:

a) Las actividades de colaboración entre los niños de infantil son menos frecuentes cuanta más edad tienen.
b) El tamaño de los grupos se irá reduciendo con la edad.
c) Los niños y niñas se suelen agrupar en torno a preferencias y semejanzas: sexo, características físicas, etc.
d) Todas son correctas.

13. ¿A partir de qué edad el niño se calma con la voz de la persona que lo cuida?

a) 0-3 meses.
b) 3-6 meses.
c) 6-9 meses.
d) Alrededor del año.

14. Señale la afirmación correcta sobre los tipos de actividades:

a) Los diferentes tipos de actividades (en gran grupo, trabajo individual o grupo reducido) deben intercalarse a lo largo de la jornada de tal forma que se evite la fatiga en los niños.
b) El trabajo individual debe hacerse todos los días, dejando el trabajo en gran grupo para realizar una vez a la semana.
c) No es conveniente hacer el mismo día distintos tipos de tarea. Cada día debe dedicarse íntegramente a un solo tipo de actividad.
d) En la educación infantil solo se realizan tareas en gran grupo, pues los niños son demasiado pequeños para otro tipo de actividades.

15. El sitio donde tienen lugar las relaciones que se establecen entre los miembros del grupo-clase (incluido el docente), es:

a) El aula.
b) El centro de educación infantil.
c) El parque de juegos.
d) La vivienda familiar.

16. En el caso de los más pequeños, ¿qué situación se prestan particularmente bien para alentar en el niño el sentimiento de confianza, seguridad y relajación?

a) Las situaciones de limpieza.
b) Las situaciones de cuidado.
c) Las situaciones de alimentación.
d) Todas son correctas.

17. Señale la afirmación correcta sobre el cuento:

a) El cuento es una actividad que solo podremos realizar en pequeño grupo.
b) La edad para iniciar a los niños en esta actividad es a partir de los tres años.
c) El cuento es un relato breve que tiene un carácter recreativo y una verdadera fuerza narrativa.
d) Todas son correctas.

18. Uno de los objetivos que se puede desarrollar con los cuentos es:

a) Aumentar la expresión oral con un vocabulario amplio, claro, conciso y sugestivo.
b) Fomentar la creatividad del niño.
c) Crear hábitos de sensibilidad artística mediante imágenes atrayentes para el niño.
d) Todas son correctas.

19. ¿Qué tipo de juegos se produce por el impulso de ir hacia algo que despierta curiosidad?

a) Juegos de ejercitación.
b) Juegos de descubrimiento.
c) Juegos de exploración.
d) Juegos de experimentación.

20. El momento de la comida en el caso de los niños más mayores del primer ciclo de educación infantil conveniente que:

a) La comida sea individual y en interacción con el educador.
b) La comida sea colectiva, pero siempre en pequeño grupo, evitando ruidos excesivos, tensiones... y en compañía de los educadores de referencia.
c) La comida sea colectiva, siempre en gran grupo, y en compañía de los educadores de referencia.
d) La comida sea colectiva, pero siempre en pequeño grupo, evitando ruidos excesivos, tensiones... y sin la presencia de los educadores de referencia, para que aprendan a diferenciar las distintas rutinas.

Solución al test n.º 30

1. a) Es importante que se tenga un educador o educadora de referencia en el grupo con el que establecer los primeros vínculos afectivos de dependencia. *(Ver epígrafe 1).*

2. c) 2-3 años. *(Ver epígrafe 1).*

3. d) Todas son correctas. *(Ver epígrafe 1).*

4. d) Pide ayuda al adulto. *(Ver epígrafe 2).*

5. d) Todas son correctas. (*Ver epígrafe 2*).

6. c) La existencia de un ambiente cálido y de una relación personal afectuosa. *(Ver epígrafe 3).*

7. d) Es una forma adecuada para entrenarles en la solución de conflictos. *(Ver epígrafe 3).*

8. d) Todas son correctas. *(Ver epígrafe 4.1).*

9. b) La asamblea ayuda a los niños a ir superando la relación individual con el educador o educadora e ir adquiriendo un sentimiento de pertenencia al grupo. *(Ver epígrafe 4.4).*

10. b) La secuencia causa-efecto debe ser muy simple. *(Ver epígrafe 5.1).*

11. c) El educador o educadora debe enseñar a niños y niñas cómo tienen que presentar las cosas cuando las cuentan: les da la palabra, se la dice, les ayuda a terminar sus frases y les pide que terminen las suyas. *(Ver epígrafe 5.2).*

12. c) Los niños y niñas se suelen agrupar en torno a preferencias y semejanzas: sexo, características físicas, etc. *(Ver epígrafe 1).*

13. a) 0-3 meses. *(Ver epígrafe 2).*

14. a) Los diferentes tipos de actividades (en gran grupo, trabajo individual o grupo reducido) deben intercalarse a lo largo de la jornada de tal forma que se evite la fatiga en los niños. *(Ver epígrafe 2).*

15. a) El aula. *(Ver epígrafe 3).*

16. d) Todas son correctas. *(Ver epígrafe 3).*

17. c) El cuento es un relato breve que tiene un carácter recreativo y una verdadera fuerza narrativa. *(Ver epígrafe 4.1).*

18. d) Todas son correctas. *(Ver epígrafe 4.1).*

19. b) Juegos de descubrimiento. *(Ver epígrafe 4.5).*

20. b) La comida sea colectiva, pero siempre en pequeño grupo, evitando ruidos excesivos, tensiones... y en compañía de los educadores de referencia. *(Ver epígrafe 4.6).*

TEST N.º 31

Psicomotricidad y expresión corporal

1. En nuestro país el interés por la psicomotricidad, así como su estudio y desarrollo, se introduce en los años setenta a partir de las ideas de:

a) Wernicke.
b) Wallon y Ajuriaguerra.
c) Dupré.
d) Sherrington.

2. En el ámbito social, la psicomotricidad se emplea:

a) Tanto en niños como en ancianos.
b) Sólo con niños.
c) Sólo en personas con discapacidad física.
d) Exclusivamente en discapacidad intelectual.

3. Los conceptos delante-detrás e izquierda-derecha son:

a) Conceptos difíciles que se aprenden mediante el estudio en los tres primeros años de vida.
b) Conceptos sinónimos.
c) Conceptos abstractos que se aprenden a través del movimiento.
d) Conceptos simples que se aprenden a los dos años de edad.

4. Ajuriaguerra establece tres niveles de integración del esquema corporal. ¿Cuál de ellos se corresponde con el estadio de las operaciones concretas de Piaget?

a) Nivel del cuerpo vivenciado.
b) Nivel de discriminación perceptiva.
c) Nivel de la representación mental del propio cuerpo.
d) Nivel objetal.

5. La evaluación psicomotriz se realiza mediante:

a) Observaciones puntuales directas sobre actividades.
b) Observaciones a través de cuestionarios.

c) Observaciones a través de escalas psicomotoras.
d) Todas son correctas.

6. La ley próximo-distal hace referencia al hecho de que:

a) Controlamos antes los movimientos de la cabeza y zonas próximas, para seguir con el tronco, etc. Es decir, vamos adquiriendo el dominio corporal de arriba hacia abajo.
b) Se conocen antes las partes esenciales del cuerpo, como cabeza o brazos, para seguir con los detalles, por ejemplo, uñas, cejas, etc.
c) El dominio y control comienza por las partes centrales del cuerpo para seguir hacia los extremos.
d) Reconocemos antes los objetos próximos que los distantes.

7. El esquema corporal es:

a) La vivencia que de su propio cuerpo tiene una persona.
b) La conciencia que tenemos de nuestro propio cuerpo, en reposo o en movimiento.
c) La relación peso-estatura de una persona.
d) La identificación de un niño con un personaje real o ficticio al que tiende a imitar.

8. Las fases en la integración del esquema corporal son, según Wallon:

a) Objetal, motórica, representativa y concienciación y control.
b) Cabeza, cuerpo, brazos y piernas.
c) Sensitiva, auditiva, visual y motriz.
d) Céfalo-caudal, próximo-distal, objetal y motriz.

9. Una de las principales dificultades que suelen presentar los niños en la integración del esquema corporal es:

a) El gateo.
b) La sedestación.
c) El establecimiento de la dominancia lateral.
d) Todas las opciones son correctas.

10. El orden en que el niño va reconociendo las distintas partes del cuerpo es:

a) Hemicuerpo derecho, hemicuerpo izquierdo, detalles corporales.
b) Hemicuerpo izquierdo, hemicuerpo derecho, detalles corporales.
c) Partes esenciales, detalles corporales, órganos sensoriales y articulaciones.
d) Desde los pies hacia la cabeza.

11. La lateralidad se define como:

a) La capacidad del individuo para caminar lateralmente.
b) El predominio funcional de un hemicuerpo sobre el otro.

c) El predominio funcional del hemicuerpo derecho.
d) El predominio funcional del hemicuerpo izquierdo.

12. El hecho de enseñar a usar el lado derecho a aquellos niños cuyo lado dominante por naturaleza es el izquierdo se conoce con el nombre de:

a) Lateralidad diestra corregida.
b) Ambidextrismo.
c) Zurdería contrariada.
d) Lateralidad cruzada.

13. Es necesario que la lateralidad esté bien asentada porque:

a) Los objetos cotidianos no están hechos para zurdos.
b) Los trastornos de lateralidad son la causa de alteraciones en la estructuración espacial.
c) Utilizar el lado derecho favorece el rendimiento intelectual.
d) Es fundamental que no exista dominancia lateral.

14. Uno de los objetivos principales en las técnicas de Psicomotricidad que trabajan la dominancia lateral es:

a) El establecimiento de la parte derecha como parte dominante.
b) La diferenciación de las dos partes del cuerpo (derecha e izquierda).
c) El uso indistinto de cualquiera de las manos.
d) Todas las respuestas son ciertas.

15. La imagen corporal es:

a) La representación mental o interiorización que tiene el niño de su esquema corporal.
b) La falta o exceso de peso que presenta el niño.
c) La relación entre peso y estatura.
d) El reconocimiento de la derecha y la izquierda en su propio cuerpo.

16. Entre las principales dificultades que el niño puede presentar respecto a sus conductas motrices de base está:

a) El equilibrio dinámico y estático.
b) Dificultades en la respiración.
c) Falta de coordinación.
d) Todas las opciones son correctas.

17. En muchas ocasiones las dificultades psicomotrices se relacionan con:

a) La respiración voluntaria.
b) La mala respiración.

c) La dificultad para el patinaje.
d) Zurdería.

18. El equilibrio dinámico consiste en:

a) Mantener la inmovilidad en una postura determinada.
b) Adoptar posturas no habituales. Como permanecer sobre un solo pie.
c) Adoptar posturas habituales. Por ejemplo, estar sentado.
d) Desplazarse en una postura determinada. Por ejemplo, en patinaje.

19. Con respecto a la coordinación, podemos decir que:

a) Existen dos tipos: coordinación dinámica general, que se corresponde con la psicomotricidad gruesa, y coordinación visomotora que se corresponde con la psicomotricidad fina.

b) Existen dos tipos: coordinación dinámica general, que se corresponde con la psicomotricidad fina, y coordinación visomotora que se corresponde con la psicomotricidad gruesa.

c) Consiste en la integración de las diferentes partes del cuerpo en un movimiento ordenado con el menor gasto de energía posible.

d) Las opciones a y c son correctas.

20. Un movimiento ocurre por el trabajo secuenciado de distintos músculos. Esto se conoce como:

a) Ritmo fisiológico.
b) Ritmo interior.
c) Ritmo exterior.
d) Ritmo temporal.

Solución al test n.º 31

1. b) Wallon y Ajuriaguerra. *(Ver epígrafe 1.1).*

2. a) Tanto en niños como en ancianos. *(Ver epígrafe 1.1).*

3. c) Conceptos abstractos que se aprenden a través del movimiento. *(Ver epígrafe 1.1).*

4. c) Nivel de la representación mental del propio cuerpo. *(Ver epígrafe 2.1).*

5. d) Todas son correctas. *(Ver epígrafe 1.2.4).*

6. c) El dominio y control comienza por las partes centrales del cuerpo para seguir hacia los extremos. *(Ver epígrafe 4).*

7. b) La conciencia que tenemos de nuestro propio cuerpo, en reposo o en movimiento. *(Ver epígrafe 2.1).*

8. a) Objetal, motórica, representativa y concienciación y control. *(Ver epígrafe 2.1).*

9. c) El establecimiento de la dominancia lateral. *(Ver epígrafe 2.1).*

10. c) Partes esenciales, detalles corporales, órganos sensoriales y articulaciones. *(Ver epígrafe 2.1.1).*

11. b) El predominio funcional de un hemicuerpo sobre el otro. *(Ver epígrafe 2.1.2).*

12. c) Zurdería contrariada. *(Ver epígrafe 2.1.2).*

13. b) Los trastornos de lateralidad son la causa de alteraciones en la estructuración espacial. *(Ver epígrafe 2.1.2).*

14. b) La diferenciación de las dos partes del cuerpo (derecha e izquierda). *(Ver epígrafe 2.1.2).*

15. a) La representación mental o interiorización que tiene el niño de su esquema corporal. *(Ver epígrafe 2.1.3).*

16. d) Todas las opciones son correctas. *(Ver epígrafe 2.2).*

17. b) La mala respiración. *(Ver epígrafe 2.2.1).*

18. d) Desplazarse en una postura determinada. Por ejemplo, en patinaje. *(Ver epígrafe 2.2.2).*

19. d) Las opciones a y c son correctas. *(Ver epígrafe 2.2.3).*

20. a) Ritmo fisiológico. *(Ver epígrafe 2.3).*

TEST N.º 32

La expresión plástica

1. Un medio plástico es aquel que puede ser:

a) Dibujado.
b) Pintado.
c) Modelado.
d) Ninguna respuesta es correcta.

2. Según Lowenfeld y Lambert (1980), la evolución de la expresión plástica pasa por las siguientes estapas:

a) De garabateo, esquemática y realista.
b) De garabateo, preesquemática, esquemática, de pseudorrealismo y realista.
c) De garabateo, preesquemática, esquemática y realista.
d) De garabateo, esquemática, de pseudorrealismo y realista.

3. El niño dibuja sin la finalidad de representar nada en la subetapa:

a) Del garabato inmotivado.
b) Del garabato desordenado.
c) Del garabato controlado.
d) Del garabato con nombre.

4. La asociación del dibujo con el lenguaje comienza en la subetapa:

a) Del garabato inmotivado.
b) Del garabato desordenado.
c) Del garabato controlado.
d) Del garabato con nombre.

5. El niño empieza a manifestar deseo de utilizar determinados colores en la subetapa:

a) Del garabato inmotivado.
b) Del garabato desordenado.

c) Del garabato controlado.
d) Del garabato con nombre.

6. La etapa de garabateo comprende las edades:

a) De uno a seis años.
b) De dos a cuatro años.
c) De uno a tres años.
d) De uno a cuatro años.

7. La coordinación óculo-manual caracteriza a la subetapa del:

a) Garabato controlado.
b) Garabato desordenado.
c) Garabato altruista.
d) Garabato con nombre.

8. Según Domínguez (1987), los garabatos infantiles pueden informarnos de:

a) Sentimientos.
b) Capacidad intelectual.
c) Desarrollo motriz.
d) Todas las respuestas son correctas.

9. La etapa preesquemática se produce entre:

a) Los tres y los siete años.
b) Los tres y los ocho años.
c) Los cuatro y los siete años.
d) Los cuatro y los ocho años.

10. El dibujo del principio de la etapa preesquemática se caracteriza por:

a) La discrepancia entre el dibujo que el niño desea realizar y el producto final que aparece.
b) Un control adecuado del tamaño relativo de los objetos.
c) Las respuestas a y b son correctas.
d) Ninguna respuesta es correcta.

11. Al dibujo de la figura humana en la etapa preesquemática se le conoce como:

a) Monigote-primitivo.
b) Monitote-renacuajo.
c) Las respuestas a y b son correctas.
d) Ninguna respuesta es correcta.

12. Un factor que influye en el desarrollo de la expresión plástica es:

a) El momento de iniciación.
b) El desarrollo motor.
c) La cantidad y la calidad de su experiencia.
d) Todas las anteriores respuestas son correctas.

13. En cuanto al desarrollo motor necesario para la producción plástica, la psicomotricidad fina no se alcanza hasta aproximadamente:

a) Los tres años.
b) Los cuatro años.
c) Los cinco años.
d) Los seis años.

14. Cuando, en la subetapa del garabato con nombre, el niño manifiesta sus sentimientos a través del color, hablamos de:

a) Dimensión lúdica.
b) Dimensión de expresión subjetiva.
c) Dimensión representativa.
d) Ninguna de ellas.

15. Cuando el niño empieza a utilizar el color azul para el cielo y amarillo para el sol, probablemente estará entrando en la etapa:

a) De garabateo.
b) Preesquemática.
c) Esquemática.
d) Realista.

16. En el primer ciclo de educación infantil, difícilmente puede representarse:

a) La forma.
b) La línea.
c) El color.
d) El volumen.

17. El collage requiere:

a) Transferir un dibujo o diseño de un soporte a otro.
b) Unir telas o papeles o coser trayectorias en el borde o interior de alguna superficie.
c) Aplicar una capa de recubrimiento sobre una superficie.
d) Explorar los materiales y las herramientas para componer algo con ellos.

18. No es una actividad de composición:

a) El estampado.
b) El mural.
c) El mosaico.
d) El cosido.

19. Es una actividad pictórica:

a) El mural.
b) El collage.
c) La pulverización.
d) El cosido.

20. Señale cuál de las siguientes es la primera actividad que debe abordarse en una sesión de expresión plástica:

a) Reparto de materiales.
b) Limpieza.
c) Puesta en común y valoración.
d) Realización plástica.

21. Es un objetivo de la evaluación general de la expresión plástica:

a) El progreso en la psicomotricidad.
b) El progreso en el manejo de los materiales.
c) Las respuestas a y b son correctas.
d) Ninguna respuesta es correcta.

22. Mesonero y Torío (1996) proponen la evaluación específica de:

a) La habilidad motórica.
b) La expresión en volumen.
c) Las actitudes.
d) Todas las respuestas son correctas.

23. Según Mesonero y Torío (1996), la evaluación de la imaginación plástica debe realizarse dentro de la evaluación específica de:

a) Las habilidades técnicas.
b) La creatividad y la expresión.
c) Las actitudes.
d) La utilización del color.

24. Según Mesonero y Torío (1996), la evaluación de la búsqueda de la profundidad debe realizarse dentro de la evaluación específica de:

a) La habilidad motórica.
b) La creatividad y la expresión.
c) La expresión en volumen.
d) La utilización del espacio gráfico y las formas.

25. Según Mesonero y Torío (1996), la evaluación del modelado con plastilina debe realizarse dentro de la evaluación específica de:

a) La utilización del color.
b) Las habilidades técnicas.
c) La expresión en volumen.
d) La utilización del espacio gráfico y las formas.

26. Señala la opción incorrecta con respecto al proceso de evaluación:

a) Es aconsejable conservar las producciones de los alumnos.
b) Es aconsejable valorar las producciones con los niños justo al ser terminadas.
c) Es aconsejable comparar las producciones de los niños para estimular su avance.
d) Es aconsejable descartar nuestros prejuicios culturales al valorar las producciones infantiles.

Solución al test n.º 32

1. c) Modelado. (*Ver epígrafe 2*).

2. b) De garabateo, preesquemática, esquemática, de pseudorrealismo y realista. (*Ver epígrafe 3*).

3. b) Del garabato desordenado. (*Ver epígrafe 3.1*).

4. d) Del garabato con nombre. (*Ver epígrafe 3.1*).

5. d) Del garabato con nombre. (*Ver epígrafe 3.1*).

6. b) De dos a cuatro años. (*Ver epígrafe 3.1*).

7. a) Garabato controlado. (*Ver epígrafe 3.1*).

8. d) Todas las respuestas son correctas. (*Ver epígrafe 3.1*).

9. c) Los cuatro y los siete años. (*Ver epígrafe 3.2*).

10. a) La discrepancia entre el dibujo que el niño desea realizar y el producto final que aparece. (*Ver epígrafe 3.2*).

11. c) Las respuestas a y b son correctas. (*Ver epígrafe 3.2*).

12. d) Todas las anteriores respuestas son correctas. (*Ver epígrafe 4*).

13. c) Los cinco años. (*Ver epígrafe 4*).

14. b) Dimensión de expresión subjetiva. (*Ver epígrafe 5.1*).

15. b) Preesquemática. (*Ver epígrafe 5.1*).

16. d) El volumen. (*Ver epígrafe 5.4*).

17. d) Explorar los materiales y las herramientas para componer algo con ellos. (*Ver epígrafe 8.3*).

18. a) El estampado. (*Ver epígrafe 8.3*).

19. c) La pulverización. (*Ver epígrafe 8.3*).

20. a) Reparto de materiales. (*Ver epígrafe 9*).

21. c) Las respuestas a y b son correctas. (*Ver epígrafe 10.1*).

22. d) Todas las respuestas son correctas. (*Ver epígrafe 10.2*).

23. b) La creatividad y la expresión. (*Ver epígrafe 10.2*).

24. c) La expresión en volumen. (*Ver epígrafe 10.2*).

25. b) Las habilidades técnicas. (*Ver epígrafe 10.2*).

26. c) Es aconsejable comparar las producciones de los niños para estimular su avance. (*Ver epígrafe 10.3*).

TEST N.º 33

El lenguaje rítmico-musical

1. La educación musical favorece:

a) La psicomotricidad.
b) El desarrollo cognitivo.
c) La expresión emocional.
d) Todas las respuestas anteriores son correctas.

2. Según Lago Castro (1997), el intento de imitar sonidos comienza a la edad de:

a) Un mes.
b) Tres meses.
c) Seis meses.
d) Doce meses.

3. Según Lago Castro (1997), el movimiento del cuerpo ante la música comienza a la edad de:

a) Seis meses.
b) Un año.
c) Dos años.
d) Tres años.

4. Según Lago Castro (1997), la reproducción de versos sueltos de canciones se produce a la edad de:

a) Dos años.
b) Tres años.
c) Cuatro años.
d) Cinco años.

5. Según Lago Castro (1997), la confusión de intensidad con velocidad es característica a la edad de:

a) Cuatro años.
b) Cinco años.

c) Seis años.
d) Siete años.

6. Según Lago Castro (1997), la reproducción de melodías simples es característica a la edad de:

a) Cuatro años.
b) Cinco años.
c) Seis años.
d) Siete años.

7. La definición "una vibración sonora que no tiene frecuencias fundamentales, ni ritmo, ni regularidad", corresponde al concepto de:

a) Ruido.
b) Sonido.
c) Silencio.
d) Melodía.

8. La definición "una vibración con una o varias frecuencias fundamentales, con duración y regularidad", corresponde al concepto de:

a) Melodía.
b) Ruido.
c) Silencio.
d) Sonido.

9. El intervalo de tiempo durante el cual se produce el sonido o el silencio es:

a) La intensidad.
b) El tono.
c) La duración.
d) El timbre.

10. La frecuencia del sonido es:

a) La intensidad.
b) El tono.
c) La duración.
d) El timbre.

11. La fuerza o suavidad del sonido hace referencia a:

a) La intensidad.
b) El tono.

c) La duración.
d) El timbre.

12. "Una secuencia de sonidos y silencios durables y estables," es la definición de:

a) Canción.
b) Melodía.
c) Ritmo.
d) Ninguna respuesta es correcta.

13. "Un conjunto armonioso de sonidos", es la definición de:

a) Ritmo.
b) Música.
c) Melodía.
d) Canción.

14. Señale la opción incorrecta:

a) Los grafismos son indispensables para la fijación y expresión de componentes musicales.
b) Debemos enseñar a los niños el código utilizado por los adultos (pentagrama, blancas, negras, corcheas, etc.).
c) Los grafismos permiten al niño traducir la percepción musical a un código diferente.
d) Los grafismos pueden incluso ser inventados por los niños.

15. En la educación infantil y primaria uno de los objetivos de la expresión rítmico-musical debe ser:

a) El desarrollo auditivo sonoro y musical.
b) El desarrollo de la sensibilidad.
c) Las respuestas a y b son correctas.
d) Ninguna respuesta es correcta.

16. Entre los materiales de membrana recomendables en la educación rítmico-musical se encuentran:

a) Cajas chicas, castañuelas, etc.
b) Cascabeles, campanillas, platillos, etc.
c) Tambores, panderos, maracas, etc.
d) Ninguna respuesta es correcta.

17. El método que se centra en el canto y el cultivo del oído a través de canciones populares y piezas de música clásica de grandes compositores, es el conocido como:

a) Método Kodàly.
b) Método Dalcroze.

c) Método Orff-Schulwek.
d) Método Suzuki.

18. El método que se basa en la rítmica, el solfeo y la improvisación es el conocido como:

a) Método Kodàly.
b) Método Dalcroze.
c) Método Orff-Schulwek.
d) Método Suzuki.

19. El método que se basa en escuchar música desde el nacimiento y la repetición para dominar un instrumento musical es el conocido como:

a) Método Kodàly.
b) Método Dalcroze.
c) Método Orff-Schulwek.
d) Método Suzuki.

20. El método que se basa en actividades del gusto de los niños como cantar, rimar, aplaudir, bailar, golpear, etc. es el conocido como:

a) Método Kodàly.
b) Método Dalcroze.
c) Método Orff-Schulwek.
d) Método Suzuki.

21. Oír piezas musicales, como actividad educativa, es útil para:

a) Discriminar el tono.
b) Discriminar el timbre.
c) Discriminar la intensidad.
d) Todas las respuestas son correctas.

22. Según Martínez Alcolea y Calvo, es un objetivo de evaluación del aprendizaje rítmico-musical en el primer ciclo de educación infantil:

a) Discriminar cualidades del sonido.
b) Interpretar canciones sencillas y conocidas.
c) Reconocer el origen de sonidos habituales.
d) Ninguna respuesta es correcta.

23. Según Martínez Alcolea y Calvo no es un objetivo de evaluación del aprendizaje rítmico-musical en el primer ciclo de educación infantil:

a) Discriminar voces de personas significativas.
b) Manifestar cuidado por los instrumentos musicales.

c) Interpretar canciones sencillas y conocidas.
d) Ninguna respuesta es correcta.

24. Según Martínez Alcolea y Calvo, es un objetivo de evaluación del aprendizaje rítmico-musical en el segundo ciclo de educación infantil:

a) Discriminar y reconocer sonidos y sus contrastes básicos.
b) Reconocer el origen de sonidos habituales.
c) Las respuestas a y b son correctas.
d) Ninguna respuesta es correcta.

25. Según Martínez Alcolea y Calvo, no es un objetivo de evaluación del aprendizaje rítmico-musical en el segundo ciclo de educación infantil:

a) Discriminar y reconocer sonidos y sus contrastes básicos.
b) Discriminar cualidades del sonido.
c) Manifestar cuidado por los instrumentos musicales.
d) Reconocer el origen de sonidos habituales.

Solución al test n.º 33

1. d) Todas las respuestas anteriores son correctas. *(Ver epígrafe 1).*

2. b) Tres meses. *(Ver epígrafe 4.1).*

3. c) Dos años. *(Ver epígrafe 4.1).*

4. b) Tres años. *(Ver epígrafe 4.1).*

5. a) Cuatro años. *(Ver epígrafe 4.2).*

6. c) Seis años. *(Ver epígrafe 4.2).*

7. a) Ruido. *(Ver epígrafe 5.1).*

8. d) Sonido. *(Ver epígrafe 5.2).*

9. c) La duración. *(Ver epígrafe 5.2).*

10. b) El tono. *(Ver epígrafe 5.2).*

11. a) La intensidad. *(Ver epígrafe 5.2.).*

12. c) Ritmo. *(Ver epígrafe 5.4).*

13. c) Melodía. *(Ver epígrafe 5.5).*

14. b) Debemos enseñar a los niños el código utilizado por los adultos (pentagrama, blancas, negras, corcheas, etc.). *(Ver epígrafe 5.7).*

15. c) Las respuestas a y b son correctas. *(Ver epígrafe 6).*

16. c) Tambores, panderos, maracas, etc. *(Ver epígrafe 8).*

17. a) Método Kodàly. *(Ver epígrafe 9.1).*

18. b) Método Dalcroze. *(Ver epígrafe 9.2).*

19. d) Método Suzuki. *(Ver epígrafe 9.4).*

20. c) Método Orff-Schulwek. *(Ver epígrafe 9.3).*

21. d) Todas las respuestas son correctas. *(Ver epígrafe 10).*

22. c) Reconocer el origen de sonidos habituales. *(Ver epígrafe 11.1).*

23. b) Manifestar cuidado por los instrumentos musicales. *(Ver epígrafe 11.1).*

24. a) Discriminar y reconocer sonidos y sus contrastes básicos. *(Ver epígrafe 11.2).*

25. d) Reconocer el origen de sonidos habituales. *(Ver epígrafe 11.2).*

TEST N.º 34

El lenguaje corporal

1. Según Motos, "la expresión corporal es un conjunto de técnicas que utilizan el cuerpo humano como elemento de...":

a) Motivación.
b) Lenguaje.
c) Apoyo.
d) Psicomotor.

2. ¿Qué tipo de expresión tiene que ver con la utilización del cuerpo, sus gestos, actitudes y movimientos con una intencionalidad comunicativa?

a) La corporal.
b) La dramática.
c) Las respuestas a) y b) son correctas.
d) Las respuestas a) y b) son incorrectas.

3. En contraposición a la expresión dramática, con la expresión corporal se trata de representar a través de su acción y movimiento:

a) Personas.
b) Estados de ánimo.
c) Situaciones.
d) Escenas.

4. ¿Cuál es la forma de comunicación más primaria?

a) La verbal.
b) La escrita.
c) La corporal.
d) La visual.

5. ¿Cuáles son los gestos que se producen en las primeras semanas y están condicionados por los reflejos?

a) Los proyectivos.
b) Los cinestésicos.

c) Los emocionales.
d) Los automáticos.

6. Según Scheflen, los gestos para indicar la dimensión o el tamaño de las imágenes se denominan:

a) Demostrativos.
b) Enfáticos.
c) Táctiles.
d) Proyectivos.

7. Según Wallon, ¿cómo se denomina el estadio en el que los gestos tienen algo de explosivo y no están orientados?

a) Emocional.
b) Anabolismo.
c) Impulsividad motriz.
d) Sensoriomotriz.

8. Para Wallon las adquisiciones fundamentales del estadio sensorio-motriz son:

a) El lenguaje y la marcha.
b) El lenguaje y la lateralidad.
c) La marcha y la lateralidad.
d) la lateralidad y el esquema corporal.

9. ¿En qué estadio, según Wallon, el movimiento servirá de soporte y acompañante de las representaciones mentales?

a) Personalismo.
b) Sensorio-motriz.
c) Emocional.
d) Animismo.

10. ¿En qué etapa educativa la educación del gesto ofrece especiales dificultades?

a) En la Educación Primaria.
b) En la Educación Infantil.
c) En la Educación Secundaria.
d) Todas las respuestas son correctas.

11. La palabra *self* hace referencia a la:

a) Expresión corporal.
b) Expresión dramática.
c) Identidad existencial.
d) Expresión artística.

12. El proceso de reconocimiento de uno mismo:

a) Es posterior al de los otros.
b) Es anterior al de los otros.
c) Es paralelo al de los otros.
d) No se sabe bien cuándo ocurre.

13. Los movimientos y los gestos como elementos de la expresión corporal, influyen en las primeras rutinas cotidianas como:

a) La alimentación.
b) El sueño.
c) El control de esfínteres.
d) Todas son correctas.

14. A través de este tipo de juego, los niños interpretarán roles, utilizarán objetos, pudiendo así explorar y asimilar los roles sociales, conocer las pautas de relación y, por tanto, favorecer su autonomía personal:

a) Juego de reglas.
b) Juego simbólico.
c) Juego psicomotor.
d) Juego tónico-corporal.

15. Según Wallon ¿en qué estadio referido a la evolución del movimiento se encontraría un bebé de 6 meses?

a) Anabolismo.
b) Estadio sensorio-motriz.
c) Impulsividad motriz.
d) Estadio emocional.

16. Según Wallon ¿cuál de las siguientes fases de la evolución del movimiento corresponde con la vida intrauterina?

a) Anabolismo.
b) Estadio sensorio-motriz.
c) Impulsividad motriz.
d) Estadio emocional.

17. Siguiendo la tipología de Sheflen ¿qué tipo de gesto estamos utilizando cuando apuntamos a alguien con el dedo?

a) Gestos de referencia.
b) Gestos enfáticos.

c) Gestos demostrativos.
d) Gestos táctiles.

18. ¿Qué tipo de gestos representan lo que ocurre en el interior de la mente?

a) Automáticos.
b) Emocionales.
c) Abstractos.
d) Proyectivos.

19. Entre las orientaciones metodológicas adecuadas a la expresión corporal podemos citar:

a) La intervención educativa en el ámbito de esta forma de representación debe tener presente que es esencial que los niños disfruten cuando se encuentren trabajando en este tipo de actividades.
b) A la hora de realizar las actividades, la flexibilidad debe ser el criterio principal para establecer su secuencia.
c) Las actividades que se refieren a esta forma de expresión no pueden considerarse como un complemento o un relleno entre tareas.
d) Todas son correctas.

20. El lenguaje corporal es un contenido del área de:

a) Comunicación y Representación de la Realidad.
b) Crecimiento en Armonía.
c) Descubrimiento y Exploración del Entorno.
d) Se trata de un área independiente: lenguaje corporal y dramático.

Solución al test n.º 34

1. b) Lenguaje. (*Ver epígrafe 1*).

2. c) Las respuestas a) y b) son correctas. (*Ver epígrafe 1*).

3. b) Estados de ánimo. (*Ver epígrafe 1*).

4. c) La corporal. (*Ver epígrafe 2*).

5. d) Los automáticos. (*Ver epígrafe 2*).

6. a) Demostrativos. (*Ver epígrafe 2*).

7. c) Impulsividad motriz. (*Ver epígrafe 2*).

8. a) El lenguaje y la marcha. (*Ver epígrafe 2*).

9. a) Personalismo. (*Ver epígrafe 2*).

10. b) En la Educación Infantil. (*Ver epígrafe 2*).

11. c) Identidad existencial. (*Ver epígrafe 3.1*).

12. a) Es posterior al de los otros. (*Ver epígrafe 3.1*).

13. d) todas son correctas. (*Ver epígrafe 3.2*).

14. b) Juego simbólico. (*Ver epígrafe 3.2*).

15. d) Estadio emocional. (*Ver epígrafe 2*).

16. a) Anabolismo. (*Ver epígrafe 2*).

17. a) Gestos de referencia. (*Ver epígrafe 2*).

18. c) Abstractos. (*Ver epígrafe 2*).

19. d) Todas son correctas. (*Ver epígrafe 1*).

20. a) Comunicación y Representación de la Realidad. (*Ver epígrafe 1*).

TEST N.º 35

La formación de capacidades lógico matemáticas

1. Respecto a las matemáticas superiores:

a) Entre un 43% y un 57% de los alumnos tienen problemas de acceso.
b) No se consideran una necesidad.
c) Existe una controversia sobre si son necesarias o no.
d) Son necesarias para participar activamente en las demandas que la sociedad propone.

2. ¿A qué puede deberse el fracaso en la adquisición de los conocimientos matemáticos mínimos a la finalización de la etapa de Educación Primaria?

a) A la defectuosa organización de los contenidos.
b) A la defectuosa organización de los contenidos y la falta de estrategias de enseñanza que la acerquen a los alumnos.
c) Sobre todo a la descontextualización de las experiencias matemáticas que se proponen, las cuales pueden dar a entender que los problemas matemáticos solo se dan en el contexto escolar.
d) Todo influye.

3. ¿Cuáles son los dos grandes bloques fundamentales de la teoría de Piaget?

a) La enumeración de los estadios y las capacidades que se desarrollan en cada uno de ellos.
b) Los conceptos independientes de los estadios y la enumeración de los estadios.
c) Los conceptos que se alcanzan en cada uno de los estadios y la enumeración de los estadios.
d) Las etapas psicoevolutivas y los conceptos que se dan en cada uno de los estadios.

4. Según la teoría de Piaget, ¿a qué procesos les llama "funciones invariantes"?

a) Equilibrio y adaptación.
b) Adaptación y organización.
c) Asimilación y acomodación.
d) Asimilación y equilibrio.

5. ¿Cuáles son, según Piaget, las dos funciones básicas comunes a todos los seres vivos?

a) La adaptación y la acomodación.
b) El equilibro, la asimilación y la acomodación.
c) Las funciones invariantes: la asimilación y la acomodación.
d) La adaptación y la organización.

6. ¿De qué mecanismos disponemos para mediar en el conflicto entre la necesidad de organización y la necesidad de adaptación?

a) La adaptación y la acomodación.
b) El equilibrio, la asimilación y la acomodación.
c) La adaptación y la organización.
d) La asimilación y la acomodación.

7. ¿Cuáles son los aspectos que caracterizan cada estadio del desarrollo en la teoría de Piaget?

a) Su edad de comienzo y su lugar dentro de la secuencia.
b) Su lugar dentro de la secuencia y su estructura.
c) Su estructura y las operaciones que permite.
d) Su lugar dentro de la secuencia y las operaciones que permite.

8. ¿Cuál es la secuencia de los estadios del desarrollo según Piaget?

a) El periodo preoperatorio, el sensoriomotor, de las operaciones formales y el periodo de las operaciones concretas.

b) El periodo sensoriomotor, el preoperatorio, el de las operaciones formales y el periodo de las operaciones concretas.

c) El periodo preoperatorio, el sensoriomotor, el de las operaciones concretas y el periodo de las operaciones formales.

d) El periodo sensoriomotor, el preoperatorio, el de las operaciones concretas y el de las operaciones formales.

9. ¿Qué son las nociones y conceptos lógico-matemáticos básicos?

a) Son conceptos, procedimientos y procesos psicológicos claves para estructurar la realidad, para ordenarla y ser capaz de relacionar los elementos que percibimos o guardamos en nuestra mente.

b) Son conceptos, procedimientos y actitudes claves para estructurar la realidad, para ordenarla y ser capaz de relacionar los objetos que percibimos o guardamos en nuestra mente.

c) Son conceptos y nociones lógico-matemáticas necesarios para afrontar los contenidos matemáticos posteriores, hoy día incluidos en cualquier currículo escolar.

d) Son invariantes clave para estructurar la realidad, para ordenarla y ser capaz de relacionar los elementos que percibimos o guardamos en nuestra mente.

10. ¿Por qué dos grandes razones son importantes los conceptos básicos?

a) Porque no se podrían aprender de forma intuitiva y porque sirven de base para aprendizajes más complejos.
b) Porque forman parte del habla de las escuelas y porque no se podrían aprender de forma intuitiva.
c) Porque, aunque se aprendan de forma intuitiva, deben ser consolidados en la clase y porque sin ellos no se entiende el habla de la clase.
d) Porque forman parte del habla de las escuelas y sirven de base para aprendizajes más complejos.

11. Entre las nociones y procesos básicos se encuentran:

a) Los cuantificadores, los conceptos básicos espaciales y los conceptos básicos temporales o de posición.
b) Los aproximativos, los comparativos y los operacionales.
c) Los conceptos básicos y las operaciones lógico-matemáticas.
d) La clasificación y la seriación.

12. Entre los conceptos básicos se encuentran:

a) Los aproximativos, los comparativos y los operacionales.
b) Los cuantificadores, los conceptos básicos espaciales y los conceptos básicos temporales o de posición.
c) La clasificación y la seriación.
d) La noción de número, el sistema de numeración básico y el cálculo básico.

13. Entre las operaciones lógico-matemáticas en la etapa de Educación Infantil se encuentran:

a) La adquisición de la noción de número, el sistema de numeración y el cálculo numérico.
b) La suma y la resta intuitivas.
c) El aprendizaje de la numeración y el cálculo.
d) Según la teoría de Piaget, en el periodo preoperacional no podemos decir cuáles son, sino cuáles no tiene.

14. El aprendizaje de la numeración y el cálculo consiste en conocer:

a) La clasificación y la seriación.
b) La adquisición de la noción de número, el sistema numérico y el cálculo numérico.
c) La adquisición de la noción de número, la clasificación y la seriación.
d) La adquisición del sistema de numeración, el cálculo numérico y la resolución de problemas.

15. Los dos pasos fundamentales en la resolución de problemas son:

a) La traducción del problema y su integración.
b) La traducción del problema y su solución.
c) La representación del problema y su integración.
d) La representación del problema y su solución.

16. ¿Cuáles son los objetivos de la enseñanza del lenguaje lógico-matemático?

a) Mejorar su percepción y estructuración y mejorar la calidad de la realidad percibida en la mente del niño.
b) Mejorar su orientación, percepción y estructuración y su razonamiento.
c) Mejorar la percepción, estructuración y clasificación de la realidad percibida en la mente del niño y mejorar su orientación y razonamiento.
d) El desarrollo de un código matemático básico que posibilite la adquisición de aprendizajes matemáticos posteriores.

17. Entre los conceptos perceptivo-espaciales para el primer ciclo de educación infantil estarían los siguientes:

a) Distinguir entre el día y la noche.
b) Distinguir entre el 1 y el 2.
c) Discriminar algunos colores.
d) Discriminar pequeño, grande, gigante, muy enano.

18. Los materiales relacionados con los aprendizajes lógico-matemáticos que deberíamos tener en clase pueden clasificarse en:

a) Materiales simbólicos, de construcción, informáticos y matemáticos.
b) Materiales simbólicos, de construcción, estructurados y juegos de mesa, relacionados con las matemáticas y los números y materiales informáticos.
c) Materiales de construcción, simbólicos, estructurados y juegos de mesa, relacionados con las matemáticas, materiales informáticos y el rincón lógico-matemático.
d) Materiales de construcción, matemáticos y simbólicos, todos colocados en el rincón lógico-matemático.

19. ¿Por qué pueden ser interesantes los elementos de plástico para montar una tienda?

a) Porque ayudan a las operaciones de suma, al venderlos o comprarlos.
b) Porque, además de las operaciones propias de comprarlos y venderlos, se pueden usar para clasificar los alimentos o enseres.
c) Porque, además de las operaciones propias de comprarlos y venderlos, también se pueden pesar, contar, clasificar...
d) Porque, junto con la caja registradora, enseña al niño las operaciones de suma, al venderlos o comprarlos.

20. Los aspectos fundamentales a valorar en el primer ciclo de educación infantil, respecto al lenguaje lógico-matemático, son:

a) Motivación y gusto por la exploración, comparación, expresión y juego simbólico, uso de la serie numérica y experiencias de conteo hasta el 3 y detectar cualidades de los objetos y establecer relaciones sobre la base de éstas.

b) Uso de la serie numérica y experiencias de conteo hasta el 3 y detectar cualidades de los objetos y establecer relaciones sobre la base de éstas.

c) Gusto y curiosidad por explorar y comparar objetos, experiencias de conteo hasta el 3 y motivación.

d) Detectar hasta 3 cualidades de los objetos y establecer relaciones sobre la base de éstas, experiencias de conteo hasta el 3 y motivación.

21. ¿Qué experiencias concretas de conteo a las que nos referimos se deben de evaluar en el primer ciclo de educación infantil?

a) Decir el cardinal apropiado de conjuntos de hasta tres elementos e indicar el criterio de agrupamiento empleado.

b) Agregar elementos hasta llegar al cardinal indicado (hasta un máximo de 3 elementos).

c) Indicar el criterio de agrupamiento empleado y agregar elementos hasta llegar al cardinal indicado (hasta un máximo de 3 elementos).

d) Decir el cardinal apropiado de conjuntos de hasta tres elementos y agregar elementos hasta llegar al cardinal indicado (hasta un máximo de 3 elementos).

22. Respecto al ámbito de evaluación relacionado con la atribución de cualidades de los objetos y el establecimiento de relaciones entre ellos según sus cualidades, tenemos que evaluar:

a) Su capacidad de nombrar atributos de uso, color y tamaño de objetos y figuras normales y ser capaz de indicar el criterio de agrupación empleado.

b) Su capacidad de nombrar atributos de uso, color y tamaño de objetos y figuras normales y ser capaz de agrupar según un criterio de agrupación indicado.

c) Su capacidad de nombrar atributos de uso, color y tamaño de objetos y figuras normales y ser capaz de agregar elementos hasta llegar al cardinal que lo represente.

d) Su capacidad de nombrar atributos de uso, color y tamaño de objetos y figuras normales y ser capaz de indicar el cardinal de su conjunto.

23. Los aspectos fundamentales a valorar en el segundo ciclo de Educación Infantil, respecto al lenguaje lógico-matemático, son:

a) Son iguales a los del primer ciclo de educación infantil.

b) Manifestar interés e iniciativa, atribuir cualidades a los objetos y establecer relaciones entre ellos, basándose en esas cualidades, utilizar la serie numérica hasta nueve elementos y manifestar gusto y curiosidad por explorar y comparar objetos y aplicar operaciones sencillas de suma, resta y multiplicación básicas.

c) Motivación, utilizar la serie numérica hasta 9 objetos y ser capaz de agregar elementos hasta un número dado (máximo 9).

d) Indicar cualidades de objetos y establecer relaciones entre ellos, utilizar la serie numérica para contar hasta 9 elementos y motivación.

24. Las actividades para el desarrollo del lenguaje lógico-matemático se agrupan en las siguientes categorías:

a) Actividad de exploración, de manipulación, de percepción de atributos y de conteo.

b) Actividades de exploración, manipulación y percepción de atributos, de conteo, de clasificación y ordenación y de medida.

c) Actividades de exploración y percepción de atributos, de conteo (posterior a la clasificación y ordenación, necesarias para la adquisición de la noción de número) y de medida (esta última en Educación Infantil).

d) Actividades de exploración y percepción de atributos, de clasificación y ordenación y de conteo.

25. Actividades para el desarrollo del conteo son:

a) Recitado de secuencias numéricas, contar (ordinal y cardinal), comparar cantidades, partición de conjuntos, establecer relaciones de compraventa utilizando el conteo.

b) Contar, comparar cantidades, partición de conjuntos, establecer relaciones de compraventa y conocer el cardinal y el ordinal de un conjunto.

c) Recitado de secuencias numéricas, contar, comparar cantidades, partición de conjuntos, contar elementos prescindiendo de elementos importantes y establecer relaciones de compraventa utilizando el conteo.

d) Comparar cantidades, partición de conjuntos, contar elementos prescindiendo de elementos importantes y establecer relaciones de compraventa utilizando el conteo.

26. ¿En qué consisten las actividades de medida?

a) En contar y comparar los elementos de dos o varios conjunto.

b) En el uso apropiado del cuenteo y de los cuantificadores de cantidad (más, menos, igual, más que, menos que, igual que).

c) En utilizar varios elementos como medida para el contar (lápiz, mano, pasos...).

d) En medir diferentes objetos y realizar comparaciones entre ellos.

Solución al test n.º 35

1. c) Existe una controversia sobre si son necesarias o no. (*Ver epígrafe 1*).

2. d) Todo influye. (*Ver epígrafe 1.*).

3. b) Los conceptos independientes de los estadios y la enumeración de los estadios. (*Ver epígrafe 2*).

4. c) Asimilación y acomodación. (*Ver epígrafe 2.1*).

5. d) La adaptación y la organización. (*Ver epígrafe 2.1*).

6. b) El equilibrio, la asimilación y la acomodación. (*Ver epígrafe 2.1*).

7. c) Su estructura y las operaciones que permite. (*Ver epígrafe 2.2*).

8. d) El periodo sensoriomotor, el preoperatorio, el de las operaciones concretas y el de las operaciones formales. (*Ver epígrafe 2.2*).

9. a) Son conceptos, procedimientos y procesos psicológicos claves para estructurar la realidad, para ordenarla y ser capaz de relacionar los elementos que percibimos o guardamos en nuestra mente. (*Ver epígrafe 3.1*).

10. d) Porque forman parte del habla de las escuelas y sirven de base para aprendizajes más complejos. (*Ver epígrafe 3.1.1*).

11. c) Los conceptos básicos y las operaciones lógico-matemáticas. (*Ver epígrafe 3.1*).

12. b) Los cuantificadores, los conceptos básicos espaciales y los conceptos básicos temporales o de posición. (*Ver epígrafe 3.1.1*).

13. d) Según la teoría de Piaget, en el periodo preoperacional no podemos decir cuáles son, sino cuáles no tiene. (*Ver epígrafe 3.1.2*).

14. b) La adquisición de la noción de número, el sistema numérico y el cálculo numérico. (*Ver epígrafe 3.2*).

15. d) La representación del problema y su solución. (*Ver epígrafe 3.3*).

16. c) Mejorar la percepción, estructuración y clasificación de la realidad percibida en la mente del niño y mejorar su orientación y razonamiento. (*Ver epígrafe 4*).

17. c) Discriminar algunos colores. (*Ver epígrafe 5.1*).

18. b) Materiales simbólicos, de construcción, estructurados y juegos de mesa, relacionados con las matemáticas y los números y materiales informáticos. (*Ver epígrafe 6*).

19. c) Porque, además de las operaciones propias de comprarlos y venderlos, también se pueden pesar, contar, clasificar... (*Ver epígrafe 6*).

20. a) Motivación y gusto por la exploración, comparación, expresión y juego simbólico, uso de la serie numérica y experiencias de conteo hasta el 3 y detectar cualidades de los objetos y establecer relaciones sobre la base de éstas. (*Ver epígrafe 7.1*).

21. c) Indicar el criterio de agrupamiento empleado y agregar elementos hasta llegar al cardinal indicado (hasta un máximo de 3 elementos). (*Ver epígrafe 7.1*).

22. a) Su capacidad de nombrar atributos de uso, color y tamaño de objetos y figuras normales y ser capaz de indicar el criterio de agrupación empleado. (*Ver epígrafe 7.1*).

23. d) Indicar cualidades de objetos y establecer relaciones entre ellos, utilizar la serie numérica para contar hasta 9 elementos y motivación. (*Ver epígrafe 7.2*).

24. b) Actividades de exploración, manipulación y percepción de atributos, de conteo, de clasificación y ordenación y de medida. (*Ver epígrafe 8*).

25. c) Recitado de secuencias numéricas, contar, comparar cantidades, partición de conjuntos, contar elementos prescindiendo de elementos importantes y establecer relaciones de compraventa utilizando el conteo. (*Ver epígrafe 8*).

26. c) En utilizar varios elementos como medida para el contar (lápiz, mano, pasos...). (*Ver epígrafe 8*).

TEST N.º 36

La literatura infantil

1. ¿En qué se diferencian la definición abierta y la cerrada del término 'literatura infantil'?

a) Se diferencian principalmente en que la definición abierta incluye a los niños y la última no.

b) Se diferencian principalmente en que la primera admite varios soportes y códigos distintos del escrito, mientras la segunda solo admite el soporte escrito.

c) Se diferencian principalmente en que la primera solo atiende al destinatario ('infantil'), y la segunda se centra en el soporte ('literatura').

d) Se diferencian principalmente en que la primera está dirigida al público infantil específicamente y la segunda solo al público adulto.

2. ¿Por qué excluimos las producciones audiovisuales de la definición de 'literatura infantil'?

a) Porque no tienen nada que ver con el lenguaje escrito.

b) Porque el soporte es totalmente diferente.

c) Ninguna es correcta.

d) Por encuadrarlas dentro del cine, sin otro particular.

3. Entre las características que presentan las producciones reconocidas como literatura infantil, se encuentran:

a) Estar dirigidas al público infantil, ser del interés de niños y adultos, resultar bonitas.

b) Estar dirigidas al público infantil y juvenil, ser del interés de niños y jóvenes y resultar bonitas.

c) Estar dirigidas al público infantil y juvenil, ser del interés de niños y jóvenes y tener la intención de resultar bonitas.

d) Estar dirigidas al público infantil, ser del interés de niños y resultar bonitas.

4. ¿Cuáles son las dos importantes dimensiones que nos permiten clasificar las producciones infantiles?

a) El código y la modalidad (escrita o hablada).
b) La modalidad escrita o hablada y el soporte.
c) El soporte, el código y el contenido (géneros).
d) El soporte lingüístico o pictórico y el código.

5. ¿Qué es el soporte?

a) Es el grado de conocimiento del autor.
b) Es el medio donde se plasma y distribuye la obra.
c) Es el medio que soporta al código.
d) Es el medio (lingüístico o pictórico) en el que se plasma la obra.

6. ¿Qué es el código?

a) Son las claves que permiten interpretar la obra.
b) Su estructura lingüística o su notación pictórica.
c) Su estructura y las operaciones que permite.
d) Es la notación (lingüística o pictórica) en la que el cuento está codificado.

7. Dentro de la tradición oral del cuento, ¿qué tres grandes géneros encontramos?

a) Los cuentos maravillosos, los cuentos mínimos y los cuentos de costumbres.
b) Los cuentos de fórmula, los cuentos de costumbres y los cuentos de hadas.
c) Los cuentos de animales, los cuentos maravillosos y los cuentos de fórmula.
d) Los cuentos mágicos, los cuentos de costumbres y los cuentos mínimos.

8. Además de los cuentos, ¿qué otros géneros existen dentro de la modalidad de la tradición oral?

a) Las poesías, las adivinanzas y los trabalenguas.
b) Las elocuciones, las adivinanzas y los trabalenguas.
c) Los trabalenguas, las engañifas, las poesías y las adivinanzas.
d) Los trabalenguas, las poesías, las adivinanzas y las elocuciones.

9. Dentro de la literatura infantil propiamente dicha (la concebida inicialmente en una modalidad escrita), tenemos:

a) Los cuentos populares, la novela de aventuras, los libros de misterio y otros (no clasificables en los anteriores).

b) La novela de aventuras, los libros de misterio y otros (no clasificables en los anteriores).

c) Toda la tradición oral recogida en lengua escrita, más la novela de aventuras, los libros de misterio y otros (no clasificables en los anteriores).

d) La novela de aventuras, los libros de misterio, otros (no clasificables en los anteriores), los libros de imágenes y los libros de historias en imágenes.

10. De entre los libros en imágenes podemos distinguir:

a) Los libros descontextualizados y los libros de historias en imágenes.
b) Los libros de historias en imágenes y los libros de imágenes contextualizados.
c) Los libros de historias en imágenes y los libros de imágenes descontextualizadas.
d) Los libros de imágenes, los libros de historias y otros (no clasificables en los anteriores).

11. Respecto al acceso a las producciones infantiles, entre los 6 y los 18 meses el niño es capaz de:

a) Distinguir medidas, colores, formas, etc., lo cual podrá ser estimulado por sus cuidadores.
b) Distinguir las primeras formas y asociarlas con sus colores, incluso con la palabra que las designa.
c) Fijarse en las figuras pequeñas, especialmente las de colores llamativos, y asociar los objetos y colores de las ilustraciones con las palabras que los designan.
d) Distinguir grandes ilustraciones, especialmente con colores llamativos, incluso con las palabras que los designan. Se recomiendan los libros-juguete, resistentes y de materiales no tóxicos.

12. Desde el punto de vista evolutivo del niño, entre los 3 y 4 años, los niños se sienten atraídos por:

a) Los cuentos de hadas, los cuales le son de mucho valor al niño.
b) Secuencias de acciones, ya que ahora sí son capaces de fijarse en figuras más pequeñas.
c) Las fábulas, los cuentos de animales y también los de seres mágicos.
d) Cualquiera de las anteriores, e incluso las historias extraídas de los libros de aventuras, dada la mayor soltura en el habla y su capacidad de recrear una secuencia.

13. ¿Cuáles son los ámbitos en los cuales el cuento tiene virtudes benefactoras para el niño?

a) El ámbito psicológico y el ámbito pedagógico y social.
b) El del afrontamiento de las situaciones adversas y el del desarrollo de la personalidad del niño.
c) El de la preparación para la vida y el del alentamiento del pensamiento crítico.
d) El del afrontamiento psicológico y el de la preparación para la vida.

14. Desde el punto de vista psicológico, los cuentos ayudan a:

a) El desarrollo cognitivo y de la imaginación, el pensamiento crítico, la atención y concentración, el afrontamiento y el desarrollo equilibrado de la personalidad del niño.
b) El fomento de la atención y la concentración, el desarrollo cognitivo, la fantasía e imaginación, superar el egocentrismo, el afrontamiento y el desarrollo equilibrado de la personalidad del niño.

c) Prepararse para la vida, el pensamiento crítico y el afrontamiento, el desarrollo equilibrado de la personalidad del niño, superando su egocentrismo y fomentando la atención y concentración, el desarrollo cognitivo y el de la fantasía e imaginación.

d) El desarrollo cognitivo y de la imaginación, la atención y concentración, el afrontamiento y el desarrollo equilibrado de la personalidad del niño.

15. Desde el punto de vista pedagógico y social, los cuentos ayudan a:

a) Prepararse para la vida, el pensamiento crítico y el afrontamiento, el desarrollo equilibrado de la personalidad del niño, superando su egocentrismo, la sensibilidad hacia la belleza y expresión y experiencias morales útiles.

b) Proporcionar experiencias morales útiles, satisfacer el deseo de aventura y la sensibilidad hacia la belleza y la expresión, al afrontamiento y la preparación para la vida.

c) Adquirir experiencias morales útiles, satisfacer el deseo de aventura y acceso a la lectura, al desarrollo de la sensibilidad hacia la belleza y expresión, el pensamiento crítico y, en general, a la preparación para la vida.

d) Al desarrollo del pensamiento crítico, la sensibilidad hacia la belleza y expresión y el interés por el aprendizaje de la lectura, a adquirir experiencias morales útiles, satisfacer el deseo de aventura y a la preparación para la vida.

16. ¿Por qué son de un interés humano inmenso los cuentos populares?

a) Porque, al haberse transmitido boca a boca a través de los siglos, han sido seleccionados y solo perduraron los más profundamente humanos.

b) Porque, al haberse transmitido boca a boca a través de siglos, han perdido y/o modificado sus elementos accesorios, pero han conservado sus características más profundamente humanas.

c) Por ser los más antiguos y profundamente humanos.

d) Por ser los más antiguos y los más estudiados, por lo que disponemos de más información pedagógica sobre cómo utilizarlos.

17. ¿Desde qué dos puntos de vista se pueden definir los cuentos maravillosos?

a) Desde el punto de vista de su estructura y desde el punto de vista de su antigüedad y extensión geográfica universal.

b) Desde el punto de vista de los personajes y desde el punto de vista de su antigüedad.

c) Desde el punto de vista de su contenido mágico y desde el punto de vista de sus personajes.

d) Desde el punto de vista de los personajes y desde el punto de vista de su estructura interna.

18. ¿Cuáles son los personajes usuales en el cuento maravilloso?

a) El héroe y el falso héroe, la víctima y su padre, el donante del objeto mágico y, por supuesto, el agresor.

b) El héroe y el falso héroe, el rey y la princesa, el donante del objeto mágico, el agresor y los auxiliares del héroe.

c) El héroe, la víctima y el padre, el donante del objeto mágico, el agresor, el falso héroe y sus auxiliares.
d) La representación del problema y su integración.

19. ¿A qué edad pueden ser beneficiosos los cuentos maravillosos?

a) A partir de los 4 o 5 años.
b) Entre los 4 y 5 años.
c) Entre los 5 y 6 años.
d) Entre los 6 y 7 años.

20. ¿Sobre qué tema se centran los cuentos de costumbres?

a) Se centran en temas morales, los cuales explican en la moraleja el objetivo del cuento.
b) Se centran en los valores culturales sociales imperantes en la sociedad.
c) Se centran en las costumbres típicas de los pueblos en los que se desarrolla.
d) Sobre temas morales y cotidianos.

21. ¿Qué criterios de selección debemos manejar a la hora de elegir los cuentos?

a) Los objetivos didácticos que persigamos, los que persigan los niños y sus características psicoevolutivas (edad).
b) Los objetivos didácticos que persigamos y las características psicoevolutivas (edad) y los intereses del público al que está dirigido.
c) Las características psicoevolutivas (edad) del público al que está dirigido y los objetivos didácticos que persigamos.
d) Las características psicoevolutivas (edad) del público al que está dirigido y los gustos del alumnado.

22. ¿Cuáles son las características más sobresalientes de los cuentos más demandados por los parvularios?

a) Acción sencilla que puedan entender, misterio, momentos poéticos, algún elemento reiterativo y, por supuesto, entretenimiento.
b) Acción calmada que puedan entender, misterio, momentos poéticos, algún elemento reiterativo y, por supuesto, entretenimiento.
c) Rapidez de acción, sencillez, momentos poéticos, humor, algún elemento reiterativo y, por supuesto, mucho misterio.
d) Rapidez de acción, sencillez, humor, misterio, momentos poéticos, algún elemento reiterativo y, por supuesto, entretenimiento.

23. Respecto a los sentimientos, el entusiasmo y la imitación de las voces al contar el cuento:

a) Se debe contar con el máximo realismo, entusiasmo y sentimiento. La exageración le encanta a los niños.
b) Debemos conseguir un compromiso entre el máximo realismo, entusiasmo y sentimiento y nuestras propias capacidades expresivas, de forma que no perdamos naturalidad.

c) Debemos convencer de que la historia que contamos es importante, aunque no le encontremos sentido.

d) Debemos dejar nuestros sentimientos y tratar de adoptar el de los distintos personajes.

24. ¿Cuáles podrían ser las sesiones a realizar para la dramatización de un cuento?

a) Contar el cuento y hablar sobre él, repartir los personajes, delimitar los lugares de cada personaje, realizar adaptaciones y acortarlo, realizar decorados y disfraces, presentar el cuento con decorado y sin público, representarlo con público.

b) Contar el cuento y hablar sobre él, repartir los personajes, delimitar los lugares de cada personaje, realizar decorados y disfraces, presentar el cuento con decorado y sin público, representarlo con público.

c) Contar el cuento y hablar sobre él, repartir los personajes, delimitar los lugares de cada personaje, realizar adaptaciones y acortarlo, realizar decorados y disfraces, presentar el cuento sin decorado y sin público, representarlo con público.

d) Contar el cuento y hablar sobre él, delimitar los lugares de cada personaje, repartir los personajes, realizar decorados y disfraces, presentar el cuento con decorado y sin público, representarlo con decorado y con público.

25. Puntos a seguir a la hora de crear la biblioteca de aula:

a) Libros apropiados a su edad, colocados por toda el aula y con la portada visible. Fomentar una actitud de cuidado y valoración hacia los libros.

b) Libros variados y de todas la edades infantiles, cedidos de la biblioteca del centro. Fomentar una actitud de cuidado y valoración hacia los libros.

c) Libros de todas las edades infantiles, colocados a su alcance y con la portada visible. Fomentar una actitud de cuidado y valoración hacia los libros.

d) Libros apropiados a su edad, colocados a su alcance y con la portada visible. Fomentar una actitud de cuidado y valoración hacia los libros.

Solución al test n.º 36

1. b) Se diferencian principalmente en que la primera admite varios soportes y códigos distintos del escrito, mientras la segunda solo admite el soporte escrito. (*Ver epígrafe 2.1*).

2. d) Por encuadrarlas dentro del cine, sin otro particular. (*Ver epígrafe 2.1*).

3. d) Estar dirigidas al público infantil, ser del interés de niños y resultar bonitas. (*Ver epígrafe 2.2*).

4. c) El soporte, el código y el contenido (géneros). (*Ver epígrafes 2.3., 2.3.1. y 2.3.2*).

5. b) Es el medio donde se plasma y distribuye la obra. (*Ver epígrafe 2.3.1*).

6. d) Es la notación (lingüística o pictórica) en la que el cuento está codificado. (*Ver epígrafe 2.3.1*).

7. b) Los cuentos de fórmula, los cuentos de costumbres y los cuentos de hadas. (*Ver epígrafe 2.3.2*).

8. d) Los trabalenguas, las poesías, las adivinanzas y las elocuciones. (*Ver epígrafe 2.3.2*).

9. b) La novela de aventuras, los libros de misterio y otros (no clasificables en los anteriores). (*Ver epígrafe 2.3.2*).

10. c) Los libros de historias en imágenes y los libros de imágenes descontextualizadas. (*Ver epígrafe 2.3.2*).

11. d) Distinguir grandes ilustraciones, especialmente con colores llamativos, incluso con las palabras que los designan. Se recomiendan los libros-juguete, resistentes y de materiales no tóxicos. (*Ver epígrafe 3*).

12. c) Las fábulas, los cuentos de animales y también los de seres mágicos. (*Ver epígrafe 3*).

13. a) El ámbito psicológico y el ámbito pedagógico y social. (*Ver epígrafes 4.1. y 4.2*).

14. b) El fomento de la atención y la concentración, el desarrollo cognitivo, la fantasía e imaginación, superar el egocentrismo, el afrontamiento y el desarrollo equilibrado de la personalidad del niño. (*Ver epígrafe 4.1*).

15. d) Al desarrollo del pensamiento crítico, la sensibilidad hacia la belleza y expresión y el interés por el aprendizaje de la lectura, a adquirir experiencias morales útiles, satisfacer el deseo de aventura y a la preparación para la vida. (*Ver epígrafe 4.2*).

16. b) Porque, al haberse transmitido boca a boca a través de siglos, han perdido y/o modificado sus elementos accesorios, pero han conservado sus características más profundamente humanas. (*Ver epígrafe 5*).

17. d) Desde el punto de vista de los personajes y desde el punto de vista de su estructura interna. (*Ver epígrafe 5.1*).

18. b) El héroe y el falso héroe, el rey y la princesa, el donante del objeto mágico, el agresor y los auxiliares del héroe. (*Ver epígrafe 5.1.*).

19. a) A partir de los 4 o 5 años. (*Ver epígrafe 5.1*).

20. d) Sobre temas morales y cotidianos. (*Ver epígrafe 5.2*).

21. b) Los objetivos didácticos que persigamos y las características psicoevolutivas (edad) y los intereses del público al que está dirigido. (*Ver epígrafe 6.1*).

22. d) Rapidez de acción, sencillez, humor, misterio, momentos poéticos, algún elemento reiterativo y, por supuesto, entretenimiento. (*Ver epígrafe 6.1*).

23. b) Debemos conseguir un compromiso entre el máximo realismo, entusiasmo y sentimiento y nuestras propias capacidades expresivas, de forma que no perdamos naturalidad. (*Ver epígrafe 6.3.2*).

24. b) Contar el cuento y hablar sobre él, repartir los personajes, delimitar los lugares de cada personaje, realizar decorados y disfraces, presentar el cuento con decorado y sin público, representarlo con público. (*Ver epígrafe 7.2.2*).

25. d) Libros apropiados a su edad, colocados a su alcance y con la portada visible. Fomentar una actitud de cuidado y valoración hacia los libros. (*Ver epígrafe 8*).

TEST N.º 37

La innovación educativa en el primer ciclo de Educación Infantil. Tecnologías de la Información y la Comunicación en 0-3 años

1. Las TIC (Tecnologías de la Información y Comunicación) tienen su origen en el siglo:

a) XX.
b) XIX.
c) XXI.
d) Ninguna de las respuestas anteriores es correcta.

2. Sobre el uso de las TIC por parte de los docentes es cierto que:

a) Ha de hacerse de forma espontánea.
b) Puede comenzar a usarse sin conocimientos previos.
c) Deben ser los niños y niñas los que lo dirijan todo.
d) Ha de hacerse desde un punto de vista responsable y crítico.

3. El término en el cual culmina hoy en día el uso de las TIC en la escuela es:

a) Destreza digital.
b) Competencia digital.
c) Cultura digital.
d) Conocimiento digital.

4. Una de las ventajas del uso de las TIC en el ciclo de 0 a 3 es:

a) Comunicación instantánea.
b) Interdisciplinariedad.
c) Procesamiento rápido de los datos.
d) Todas las respuestas anteriores son correctas.

5. Una desventaja del uso de las TIC en la escuela es:

a) El encontrarse con cierto inmovilismo por parte de una idea tradicional de la enseñanza.
b) Interdisciplinariedad.

c) Procesamiento rápido de los datos.
d) No tienen ninguna desventaja.

6. La ley educativa de ámbito nacional que menciona por primera vez las TIC es:

a) La LGE.
b) La LOMCE.
c) La LOE.
d) La LOMLOE.

7. La ley educativa que dice en su preámbulo: "Las TIC como elemento presente en todas las etapas del sistema educativo, así como elemento indispensable en la formación del profesorado" es:

a) La LGE.
b) La LOMCE.
c) La LOE.
d) La LOMLOE.

8. ¿Qué significa TIC?

a) Técnicas Infantiles de Comunicación.
b) Tecnología de Información y Comunicación.
c) Técnicas de Interés Cultural.
d) Tecnología Interdisciplinar para el Conocimiento.

9. Según la clasificación que realiza Bravo Ramos, J.L, el correo electrónico se considera:

a) Medios de apoyo a la exposición oral del docente.
b) Medios de sustitución del papel del docente.
c) Medios de refuerzo del papel del docente.
d) Medios de información continua sobre los alumnos hacia las familias.

10. A la hora de utilizar las TIC en la práctica educativa, según Pariente Alonso (2005), han de enfocarse hacia tres ámbitos:

a) La escuela, el alumnado y las familias.
b) El alumnado, el profesorado y las familias.
c) El alumnado y sus familias, el profesorado y el currículum.
d) Todas las respuestas anteriores son incorrectas.

11. Según esta clasificación de objetivos a la hora de usar las TIC en la práctica educativa, según Pariente Alonso, "Crear un proyecto educativo TIC en el centro que se adapte a las características el alumnado de 0-3 años", se encuadra dentro de objetivos referidos a:

a) Currículum.
b) Familias.

c) Alumnado.
d) Profesorado.

12. Los medios didácticos son, en un sentido funcional:

a) Aquel material que ayuda al alumno a transmitir la información al docente.
b) Aquel material que ayuda al docente a comunicar y transmitir la información hacia el alumnado.
c) Aquel material disponible en el aula.
d) Todas las respuestas anteriores son correctas.

13. La pizarra digital interactiva (PDI) es:

a) Un medio de apoyo a la exposición oral del docente.
b) Un medio de sustitución del papel del docente o que lo refuerza.
c) Un medio de información continua sobre los alumnos hacia las familias.
d) Ninguna de las respuestas anteriores es correcta.

14. El ordenador u ordenadores en el aula es o son:

a) Un medio de apoyo a la exposición oral del docente.
b) Un medio de sustitución del papel del docente o que lo refuerzan.
c) Un medio de información continua sobre los alumnos hacia las familias.
d) Ninguna de las respuestas anteriores es correcta.

15. El blog de la clase es:

a) Un medio de apoyo a la exposición oral del docente.
b) Un medio de sustitución del papel del docente o que lo refuerza.
c) Un medio de información continua sobre los alumnos hacia las familias.
d) Ninguna de las respuestas anteriores es correcta.

16. El uso más habitual dado a los blogs en Educación Infantil es:

a) Mostrar el trabajo realizado en el aula, para mostrarlos a las familias y así reforzar lo trabajado.
b) Conectar unas escuelas con otras.
c) Que los niños y niñas manden tareas desde casa.
d) Ninguna de las respuestas anteriores es correcta.

17. La idea principal que hay detrás de los llamados "Círculos de aprendizaje" es:

a) Destacar en positivo las diferencias sociales.
b) Compartir información.
c) Elaborar un producto final.
d) Todas las respuestas anteriores son correctas.

18. El uso de webquest se relaciona con la teoría del aprendizaje constructivista de:

a) Bandura.
b) Pestalozzi.
c) Piaget.
d) Ninguna de las respuestas anteriores es correcta.

19. Podemos utilizar el rincón del ordenador:

a) En la asamblea.
b) Dedicando un tiempo específico como cualquier otro rincón del aula.
c) Dedicando un tiempo estipulado con anterioridad, en los casos en que el rincón del ordenador sea compartido.
d) Todas las respuestas anteriores son correctas.

20. Libros electrónicos, tabletas, vídeos educativos, sistemas multimedia interactivos son medios didácticos:

a) De apoyo a la exposición oral del docente.
b) De sustitución del papel del docente o que lo refuerzan.
c) De información continua sobre los alumnos hacia las familias.
d) Ninguna de las respuestas anteriores es correcta.

Solución al test n.º 37

1. a) XX. (*Ver epígrafe 1*).

2. d) Ha de hacerse desde un punto de vista responsable y crítico. (*Ver epígrafe 2*).

3. b) Competencia digital. (*Ver epígrafe 3*).

4. d) Todas las respuestas anteriores son correctas. (*Ver epígrafe 4*).

5. a) El encontrarse con cierto inmovilismo por parte de una idea tradicional de la enseñanza. (*Ver epígrafe 4*).

6. c) La LOE. (*Ver epígrafe 5*).

7. b) La LOMCE. (*Ver epígrafe 5*).

8. b) Tecnología de Información y Comunicación. (*Ver epígrafe 3*).

9. d) Medios de información continua sobre los alumnos hacia las familias. (*Ver epígrafe 7*).

10. c) El alumnado y sus familias, el profesorado y el currículum. (*Ver epígrafe 6*).

11. a) Currículum. (*Ver epígrafe 6*).

12. b) Aquel material que ayuda al docente a comunicar y transmitir la información hacia el alumnado. (*Ver epígrafe 7*).

13. a) Un medio de apoyo a la exposición oral del docente. (*Ver epígrafe 7*).

14. b) Un medio de sustitución del papel del docente o que lo refuerzan. (*Ver epígrafe 7*).

15. c) Un medio de información continua sobre los alumnos hacia las familias. (*Ver epígrafe 7*).

16. a) Mostrar el trabajo realizado en el aula, para mostrarlos a las familias y así reforzar lo trabajado. (*Ver epígrafe 7.4*).

17. d) Todas las respuestas anteriores son correctas. (*Ver epígrafe 7.3*).

18. c) Piaget. (*Ver epígrafe 7.3*).

19. d) Todas las respuestas anteriores son correctas. (*Ver epígrafe 7.2*).

20. b) De sustitución del papel del docente o que lo refuerzan. (*Ver epígrafe 7*).

TEST N.º 38

El juego y los juguetes

1. Para el adulto el juego es:

a) Una actividad necesaria para distraerse de las preocupaciones cotidianas.
b) Una función básica de aprendizaje.
c) Una actividad que deben realizar los niños.
d) Una obligación que repercute en el mejor desarrollo de sus hijos.

2. Para el niño, el juego es:

a) Una forma de aprendizaje.
b) Una actividad divertida.
c) Una forma de exteriorizar situaciones internas que no es capaz de expresar de otro modo.
d) Todas las opciones son correctas.

3. Entre las principales características del juego podemos citar:

a) El juego no implica ningún esfuerzo por parte del niño.
b) La realidad es el principal elemento constitutivo del juego.
c) El juego es una experiencia que proporciona libertad.
d) a y c son correctas.

4. El juego es una actividad seria porque:

a) El niño pone el mismo empeño, concentración y atención jugando que un adulto trabajando.
b) Solo proporciona diversión cuando el niño juega con un adulto, que sabe cómo entretenerlo.
c) Cuanto más serio sea el juego, mayor es el aprendizaje que favorece.
d) El juego no es una actividad seria, sino divertida.

5. La tendencia a convertir cada actividad en juego:

a) Es más evidente en los adultos.
b) Es mayor cuanto más pequeño es el niño.

c) Se hace más evidente cuanto mayor es el niño.
d) No se da de forma espontánea en los niños de Educación Preescolar.

6. Es importante incluir el juego entre las tareas cotidianas en el aula, porque:

a) Se revela como un recurso metodológico fundamental en el ámbito escolar.
b) Es una actividad altamente motivadora.
c) De este modo eliminamos la falsa dicotomía entre juego y trabajo escolar.
d) Todas las respuestas son correctas.

7. El juego favorece el desarrollo psicomotor, porque:

a) Estimula la creatividad.
b) Favorece la relación con los demás.
c) Puede descubrir sensaciones nuevas que de otro modo el niño no tendría ocasión de experimentar.
d) Estimula la agresividad.

8. El juego promueve la creación de zonas de desarrollo potencial que, como sabemos, es la zona por la que puede moverse el niño para construir aprendizajes significativos. Este caso es un ejemplo de cómo el juego favorece:

a) El desarrollo cognitivo.
b) El desarrollo social.
c) El desarrollo motor.
d) El desarrollo afectivo.

9. En lo que se refiere al desarrollo social:

a) El juego facilita el conocimiento y la relación con los demás.
b) El juego permite el autoconocimiento o conocimiento de sí mismo.
c) El juego entre iguales favorece la comunicación cooperación entre ellos.
d) a, b y c son ciertas.

10. El juego infantil, durante los cuatro primeros meses, se caracteriza porque:

a) Es principalmente espontáneo.
b) Juega más con los adultos que en solitario.
c) El interés se centra en los objetos.
d) Todas las opciones son correctas.

11. Entre los 4 y los 8 meses:

a) El niño juega sobre todo en solitario.
b) Empieza a interesarse por los propios elementos corporales.

c) Empieza a mostrar interés por la manipulación de objetos.
d) b y c son correctas.

12. Entre los 8 y los 12 meses:

a) El niño muestra una clara preferencia por jugar en solitario.
b) Sus juegos se centran en la "investigación" de qué efectos producen sus actos.
c) Se divierten con los juegos de aparecer y desaparecer.
d) b y c son correctas.

13. Al año de edad aproximadamente:

a) Cada vez requiere más la presencia del adulto para jugar.
b) El juego se dirige hacia sí mismo.
c) Lleva a cabo un juego compartido.
d) Lleva a cabo un juego en paralelo.

14. Entre los dos y los tres años aproximadamente:

a) Predomina el juego compartido.
b) Se abandona definitivamente el juego en paralelo.
c) Aparece el juego simbólico.
d) Todas las opciones son correctas.

15. La teoría sobre el juego que viene a decir que el juego permite al niño rebajar la energía acumulada que no se ha consumido en las necesidades biológicas básicas, fue formulada por:

a) Herbert Spencer.
b) Lazarus.
c) Karl Groos.
d) Buytendijk.

16. Buytendijk define tres impulsos que expresan el carácter infantil y que pueden observarse en el juego, uno de ellos es:

a) Impulso de libertad: búsqueda de la propia autonomía.
b) Deseo de fusión con el entorno y de parecerse a los demás.
c) Tendencia a la repetición.
d) Todas son correctas.

17. El primer autor que considera el juego como motor del desarrollo es:

a) Piaget.
b) Freud.

c) Lazarus.
d) Karl Groos.

18. El juego sensoriomotor, descrito por Piaget, se caracteriza por:

a) Tener lugar entre los 2 y los 7 años de edad.
b) La imitación sistemática y la exploración de lo nuevo.
c) El niño actúa como si fuese otra persona.
d) La necesidad de que el niño acate unas normas.

19. Los juegos de destrucción, que describe Chateau:

a) Se basan en el deseo de autoafirmación del niño.
b) Se caracterizan por el desorden y el arrebato.
c) Es un tipo de juego no reglado.
d) Todas las respuestas son correctas.

20. Entre las ventajas del juego espontáneo podemos citar:

a) Se trata de juegos muy variados.
b) Existe un perfecto ajuste a la edad e intereses del niño.
c) Permite la corrección y eliminación de defectos.
d) Sus efectos son controlados por el profesor.

21. Si queremos aprovechar todo el potencial didáctico que tiene el juguete es necesario que el educador tenga en cuenta lo siguiente:

a) Un juguete no siempre refleja directamente su función, sino que requiere un aprendizaje progresivo, aprendizaje que se produce a través de la actividad conjunta de niños y adultos.
b) Es importante que todos los niños jueguen con todos los juguetes, ya que con diferentes juguetes se pueden estimular distintas áreas de desarrollo.
c) Un mismo juguete puede utilizarse de forma diferente a medida que el niño va creciendo, madurando y adquiriendo nuevas destrezas.
d) Todas son correctas.

22. ¿Qué autor clasifica los juguetes en juguetes sensoriomotores, juguetes simbólicos y juguetes de reglas?

a) Bühler.
b) Piaget.
c) H. Page.
d) Michelet.

23. Los juguetes de ejercicio:

a) Son juguetes basados en el movimiento corporal.
b) Se caracterizan por la posibilidad de representar objetos y reproducir situaciones de la vida real.

c) Se componen de una serie de elementos o piezas cuya combinación da lugar a una forma diferente.
d) Son juegos en los que hay que acatar una serie de normas impuestas por el grupo.

24. Los juegos de sociedad como parchís, oca, dominó, etc., se consideran juguetes:

a) De construcción.
b) De reglas.
c) Simbólicos.
d) De ejercicio.

25. Los juguetes que permiten representar objetos y reproducir situaciones de la vida real, se consideran:

a) Juguetes simbólicos.
b) Juguetes manipulativos.
c) Juguetes de ejercicio.
d) Juguetes de construcción.

26. Los mejores juguetes para un niño son:

a) Los fabricados por empresas de reconocido prestigio por su calidad.
b) Los más caros.
c) Los que mejor se adaptan a las características personales de cada niño concreto.
d) Los que están elaborados artesanalmente.

27. A la hora de comprar un juguete para un niño de primer ciclo de educación infantil debemos tener en cuenta, entre otros aspectos:

a) Es imprescindible que no contenga piezas pequeñas que puedan producir el ahogamiento del niño.
b) Cuanto más sofisticado es el juguete, mayor diversión proporciona.
c) Es conveniente tener siempre un juguete a mano con el que poder premiar la buena conducta de los niños.
d) Todas son correctas.

28. No debemos proporcionar a un niño un juguete:

a) De una marca desconocida.
b) Que no cumpla con las medidas de seguridad que establece la Unión Europea.
c) Que no esté diseñado específicamente para su edad cronológica.
d) Que ya ha usado anteriormente otro niño.

29. Los juguetes para niños de 0 a 6 meses:

a) Deben tener colores vivos y brillantes.
b) No deben tener sonido ni movimiento, ya que asustarían al bebé.

c) Los juguetes más apropiados serán los que estimulen el desarrollo del lenguaje y los desplazamientos.

d) Todas son correctas.

30. Una de las pruebas a las que se someten los juguetes para comprobar su seguridad es:

a) La resistencia.
b) La belleza.
c) El coste económico de producción.
d) La inflamabilidad.

31. Siguiendo a Vicente Martínez y Francisco Gregorio, podemos identificar tres condiciones básicas que debe reunir un buen espacio lúdico. Estas condiciones son:

a) Seguridad física, seguridad psíquica y libertad e independencia.
b) Seguridad, amplitud y libertad.
c) Seguridad física, seguridad mental y seguridad mecánica.
d) Seguridad física, seguridad emocional y afectiva y amplitud.

32. Los juguetes dentro del aula:

a) Deben situarse en alto, para que sea el profesor el que decida las actividades a realizar.
b) Deben situarse al alcance de los niños, para favorecer la libertad de elección y de acción.
c) Deben situarse en alto, pero de modo que sean visibles por los niños, así estimulamos el lenguaje verbal, si necesitan pedirnos lo que desean.
d) Ninguna de las anteriores.

33. Podemos estimular al niño para recoger si:

a) Los niños de Educación Preescolar e infantil no tienen capacidad para recoger los juguetes.
b) Ponemos una etiqueta con un código sencillo en el lugar donde se guarda el material.
c) Lo castigamos cada vez que deja un juguete sin recoger.
d) Lo amenazamos con tirar los juguetes si no recoge.

34. Es interesante que los contenedores utilizados para guardar los juguetes:

a) Sean transparentes, para poder ver lo que hay sin necesidad de abrirlos.
b) Tengan una abertura que permitan ver el interior.
c) Se sitúen siempre en alto.
d) a y b son correctas..

Solución al test n.º 38

1. a) Una actividad necesaria para distraerse de las preocupaciones cotidianas. (*Ver epígrafe 1*).

2. d) Todas las opciones son correctas. (*Ver epígrafe 1*).

3. c) El juego es una experiencia que proporciona libertad. (*Ver epígrafe 2*).

4. a) El niño pone el mismo empeño, concentración y atención jugando que un adulto trabajando. (*Ver epígrafe 2*).

5. b) Es mayor cuanto más pequeño es el niño. (*Ver epígrafe 2*).

6. d) Todas las respuestas son correctas. (*Ver epígrafe 3*).

7. c) Puede descubrir sensaciones nuevas que de otro modo el niño no tendría ocasión de experimentar. (*Ver epígrafe 4.1*).

8. a) El desarrollo cognitivo. (*Ver epígrafe 4.2*).

9. d) a, b y c son ciertas. (*Ver epígrafe 4.4*).

10. a) Es principalmente espontáneo. (*Ver epígrafe 5*).

11. c) Empieza a mostrar interés por la manipulación de objetos. (*Ver epígrafe 5*).

12. d) b y c son correctas. (*Ver epígrafe 5*).

13. d) Lleva a cabo un juego en paralelo. (*Ver epígrafe 5*).

14. c) Aparece el juego simbólico. (*Ver epígrafe 5*).

15. a) Herbert Spencer. (*Ver epígrafe 6.1*).

16. d) Todas son correctas. (*Ver epígrafe 6.7*).

17. d) Karl Groos. (*Ver epígrafe 6.3*).

18. b) La imitación sistemática y la exploración de lo nuevo. (*Ver epígrafe 7.1*).

19. d) Todas las respuestas son correctas. (*Ver epígrafe 7.2*).

20. b) Existe un perfecto ajuste a la edad e intereses del niño. (*Ver epígrafe 7.4*).

21. d) Todas son correctas. (*Ver epígrafe 8*)

22. b) Piaget. (*Ver epígrafe 9*)

23. a) Son juguetes basados en el movimiento corporal. (*Ver epígrafe 9.1*)

24. b) De reglas. (*Ver epígrafe 9.4*)

25. a) Juguetes simbólicos. (*Ver epígrafe 9.2*)

26. c) Los que mejor se adaptan a las características personales de cada niño concreto. (*Ver epígrafe 10*).

27. a) Es imprescindible que no contenga piezas pequeñas que puedan producir el ahogamiento del niño. (*Ver epígrafe 10*).

28. b) Que no cumpla con las medidas de seguridad que establece la Unión Europea. (*Ver epígrafe 10*).

29. a) Deben tener colores vivos y brillantes. (*Ver epígrafe 10*).

30. d) La inflamabilidad. (*Ver epígrafe 11*).

31. a) Seguridad física, seguridad psíquica y libertad e independencia. (*Ver epígrafe 12*).

32. b) Deben situarse al alcance de los niños, para favorecer la libertad de elección y de acción. (*Ver epígrafe 12*).

33. b) Ponemos una etiqueta con un código sencillo en el lugar donde se guarda el material. (*Ver epígrafe 12*).

34. d) a y b son correctas. (*Ver epígrafe 12*).

SUPUESTOS PRÁCTICOS

SUPUESTO N.º 1

Se debe planificar el proceso de enseñanza y aprendizaje del lenguaje oral para un grupo de alumnos y alumnas de una unidad de 2 a 3 años. Conteste a las cuestiones que se le plantean referentes al trabajo del educador/a en relación a este tema.

1. Toda intervención educativa debe partir de unas características evolutivas. Considerando las diferencias individuales, indique: ¿a qué edad aproximadamente los niños/as combinan las palabras de dos en dos?

a) Con 12 meses.
b) Con 10 meses.
c) Con 24 meses.
d) Con 9 meses.

2. De las siguientes características, ¿cuál de ellas es más propia de niños y niñas de 24 meses?

a) Holofrases.
b) Primeras combinaciones sustantivo-verbo, sustantivo-adjetivo.
c) Aparecen las primeras sílabas.
d) Primeras palabras en forma de silaba doble (papa, mama).

3. Toda intervención debe ir encaminada a la consecución de unos objetivos. Sin perder de vista el carácter globalizado, indique aquel objetivo más relacionado con su intervención al respecto del lenguaje oral:

a) Conocer, valorar y respetar distintas formas de comportamiento y elaborar progresivamente criterios de actuación propios.

b) Utilizar el lenguaje verbal de forma cada vez más adecuada a las diferentes situaciones de comunicación para comprender y ser comprendido por los otros y para regular la actividad individual y grupal.

c) Descripción de hechos, acontecimientos y situaciones.

d) Secuenciación de escenas.

4. Los contenidos que seleccionemos deben ser conceptuales, procedimentales y actitudinales. De los contenidos que presentamos, señala el que sea una actitud:

a) Utilización del lenguaje oral, como medio de comunicación con los otros: con diferentes interlocutores, con diferentes contextos, con distinto contenido e intenciones.
b) Comprensión de las intenciones comunicativas de adultos y niños en las diferentes situaciones y actividades.
c) Producción de mensajes orales referidos a necesidades, emociones, deseos.
d) Gusto e interés por expresarse oralmente.

5. Entre los contenidos que a continuación presentamos señala el procedimental:

a) Utilización del lenguaje oral, como medio de comunicación con los otros: con diferentes interlocutores, con diferentes contextos, con distinto contenido e intenciones.
b) Vocabulario.
c) Adquirir y ampliar su vocabulario.
d) Interés por participar en situaciones de comunicación.

6. De cara a la intervención, si nos situamos en un enfoque funcional, ¿qué es lo importante?

a) Dar prioridad a la comunicación, a la interacción verbal con el otro.
b) Trabajar la fonética.
c) Trabajar la semántica.
d) Trabajar las estructuras sintácticas.

7. Señala el principio o principios más adecuados para intervenir con respecto al lenguaje oral:

a) Crear un clima de confianza y afecto en el que los niños experimenten la necesidad y el placer de comunicarse.
b) Ofrecer un modelo de lenguaje rico y correcto.
c) Verbalizar los pasos que dará para hacer algo, debe evaluar en voz alta las consecuencias previsibles de una u otra acción.
d) Todas las respuestas son correctas.

8. ¿Qué técnica consideras más adecuada para el desarrollo de la comprensión y expresión oral?

a) Empaste.
b) Esgrafiado.
c) Granulado.
d) Diálogo.

9. Sin perder de vista el carácter globalizado de toda intervención, señala aquella actividad más relacionada con la estimulación del lenguaje oral:

a) Iniciativa o interés por participar en situaciones de comunicación.
b) El relato de acontecimientos cotidianos.
c) Dar besos, abrir y cerrar la boca.
d) Son ciertas las respuestas b) y c).

10. Indica el criterio de evaluación más relacionado con la intervención que nos ocupa:

a) Identificar el propio cuerpo, y algunos de sus segmentos.
b) Cuentos, canciones.
c) Comprender órdenes sencillas.
d) Formas de comunicación: diálogo.

11. Sabemos que solamente es posible el desarrollo del lenguaje en el niño cuando existe una estructura simbólica de naturaleza anterior. ¿Cuál de las siguientes capacidades nos indica que está presente la función simbólica?

a) La imitación diferida.
b) Las reacciones circulares primarias.
c) La capacidad para observarse a sí mismo (por ejemplo, las manos).
d) La capacidad para reconocerse en el espejo.

12. Si observamos que a final de curso un alumno o alumna de esta clase, empieza a cometer errores que antes no cometía, por ejemplo, si en etapas anteriores pronunciaba correctamente vino o hizo, empieza a construir ahora las versiones irregulares de estos verbos, empleando las formas vinió e hició, podemos considerarlo:

a) Un paso atrás en su desarrollo lingüístico que va a requerir una evaluación psicopedagógica para intervenir lo antes posible sobre un posible trastorno.

b) Un paso atrás en su desarrollo lingüístico que se puede deber a un acontecimiento estresante en la familia, como la llegada de un nuevo hermano o separación de los padres.

c) Un signo que nos debe alertar sobre la posibilidad de un trastorno degenerativo infantil.

d) Un indicio de que el niño ha penetrado con éxito en la parte más difícil del lenguaje: las reglas sintácticas.

13. ¿En qué nivel de concreción curricular nos situamos al planificar el proceso de enseñanza y aprendizaje del lenguaje oral para nuestro grupo de alumnos?

a) Primer nivel de concreción curricular.
b) Segundo nivel de concreción curricular.
c) Tercer nivel de concreción curricular.
d) Cuarto nivel de concreción curricular.

14. ¿En qué área del curriculum se recogen los saberes básicos que debemos tener en cuenta para planificar el proceso de enseñanza y aprendizaje del lenguaje oral para nuestro grupo de alumnos?

a) Comunicación y Representación de la Realidad.
b) Crecimiento en Armonía.
c) Descubrimiento y Exploración del Entorno.
d) Lenguaje comprensivo y expresivo.

15. Aunque, como sabemos, las competencias clave tienen carácter transversal y todas se adquieren y desarrollan a partir de los aprendizajes que se producen en las distintas áreas, ¿cuál de las siguientes tiene más relación con el tema la de enseñanza y aprendizaje del lenguaje oral?

a) Competencia ciudadana.
b) Competencia plurilingüe.
c) Competencia en comunicación lingüística.
d) Competencia en conciencia y expresión culturales.

16. ¿Cuál no es uno de los contenidos del "Bloque 3. Comunicación verbal oral. Comprensión-expresión-diálogo" del área de Comunicación y Representación de la Realidad?

a) Utilización del lenguaje oral en situaciones cotidianas: primeras conversaciones con sonidos, vocalizaciones y juegos de interacción.
b) Empleo de un lenguaje rico y libre de estereotipos de género.
c) Interpretación de mensajes orales a través de la escucha activa.
d) El turno de diálogo y la alternancia en situaciones comunicativas que potencien el respeto y la igualdad.

17. Todos excepto uno son criterios de evaluación del bloque de contenidos "Comunicación verbal oral. Comprensión-expresión-diálogo". Señala el que no lo es:

a) Interpretar los mensajes orales del entorno reaccionando de manera adecuada.
b) Participar de forma espontánea en situaciones comunicativas adecuando la postura, los gestos y los movimientos a sus intenciones.
c) Explorar las posibilidades expresivas del lenguaje oral.
d) Participar con interés en interacciones cotidianas utilizando diferentes sistemas comunicativos.

18. El Decreto 150/2022, de 8 de septiembre ofrece una serie de líneas de actuación para cada una de las áreas, ¿cuál de las siguientes se refiere al área de Comunicación y Representación de la Realidad?

a) Una organización y gestión flexible de los tiempos comunicativos respetando los intereses, ritmos y particularidades de las niñas y de los niños.
b) La creación de un ambiente de comunicación placentero en el que la voz, cantada o narrada, oferta continuos modelos lingüísticos variados, correctos y de belleza literaria.

c) El diseño de situaciones de aprendizaje en las que las niñas y los niños puedan emplear asiduamente los elementos básicos de la comunicación oral, como la escucha atenta, el establecimiento de turnos, darle coherencia a un discurso, servir a la secuenciación de las propias acciones, emplear formulas sociales de cortesía, generar ideas, modelar la conducta, hacer propuestas o expresar opciones y defenderlas, entre otras.

d) Todas son correctas.

19. ¿Qué tipo de actividades podemos programar para nuestros alumnos que no han adquirido los conocimientos trabajados?

a) Actividades de desarrollo.
b) Actividades de consolidación.
c) Actividades de refuerzo.
d) Actividades de ampliación.

20. A la hora de hacer la programación para nuestro grupo de alumnos debemos tener en cuenta que la programación para este grupo de edad debe cumplir una serie de condiciones. Señala la incorrecta según la sugerencia de De Germani:

a) Que sea flexible, adaptable en su formulación a cada niño en particular.

b) Que sea individualizada en función de su inventario de intereses y capacidades de cada niño dentro de su nivel de desarrollo.

c) Que sea formulada desde el punto de vista del adulto y no desde la perspectiva del niño.

d) Que se realice teniendo en cuenta las distintas capacidades que deben desarrollarse en esta edad.

21. En las programaciones que realizamos con nuestro grupo de alumnos se deben incorporar los temas transversales. ¿Cuál de los siguientes se puede considerar un tema transversal?

a) La cultura de paz.
b) Los hábitos de consumo y vida saludable.
c) Igualdad entre hombres y mujeres.
d) Todas son correctas.

22. ¿Cuál de los siguientes materiales es más apropiado para la enseñanza y aprendizaje del lenguaje oral de nuestro grupo de alumnos?

a) Tacos de madera o plástico.
b) Cuentos.
c) Bloques lógicos.
d) Instrumentos de percusión.

23. Cuando un niño de unos dos años de nuestro grupo hace verbalizaciones del tipo: "aquí coche, aquí mamá...", está utilizando:

a) Holofrases.
b) Palabras pívot.
c) Palabras abiertas.
d) Balbuceos.

24. ¿Qué manifestación lingüística es más propia de nuestro grupo de alumnos en base a su edad?

a) Holofrases.
b) Ecolalia.
c) Palabras pívot.
d) Sobrerregulaciones.

25. Todas son tipos de variables que intervienen en el proceso de adquisición del lenguaje, excepto:

a) Maduración neurofisiológica.
b) Maduración psíquica.
c) Dificultad de la lengua materna.
d) Contexto sociocultural.

26. A la hora de planificar el proceso de enseñanza y aprendizaje del lenguaje oral debemos tener en cuenta que los niños se relacionan mejor y aprenden más:

a) En un ambiente neutro.
b) En un ambiente estimulante y a la vez ordenado.
c) En un ambiente desordenado para que sean ellos los que den orden a través de los aprendizajes.
d) Los niños a esta edad (2-3 años) aprenden igual en cualquier tipo de ambiente.

27. Los materiales que utilicemos deben:

a) Ser adecuados a la edad evolutiva del niño.
b) Favorecer el proceso-aprendizaje.
c) Estimular la imaginación y la creatividad.
d) Todas son correctas.

28. En nuestro grupo tenemos un alumno con síndrome de Down. ¿Cuál de las siguientes medidas de atención a la diversidad es más apropiada?

a) Adecuación de la estructura organizativa del centro (horarios, agrupamientos, espacios) y de la organización y gestión del aula a las características del alumnado.
b) Programas de diversificación curricular.

c) Programas de cualificación profesional inicial.

d) Atención educativa al alumnado que, por circunstancias diversas, presenta dificultades para una asistencia continuada a un centro educativo.

29. Nuestro alumno con síndrome de Down, ¿podría estar incluido en un programa de Atención Temprana?

a) No, porque el hecho de estar escolarizado es incompatible con el programa.

b) Solo si presenta una discapacidad grave.

c) No, porque la Atención Temprana no está dirigida a niños con discapacidad intelectual.

d) Sí, porque la Atención Temprana se dirige a la población infantil de 0 a 6 años, a su familia y a su entorno, y que tiene por objetivo dar respuesta lo antes posible a las necesidades transitorias o permanentes que presentan los niños y las niñas con trastornos en el desarrollo o en riesgo de padecerlos.

30. Durante la realización de las actividades programadas, un alumno tiene una hemorragia nasal. Tras tranquilizarlo y comprimir la fosa nasal sangrante con los dedos o con un paño empapado en agua fría, ¿qué debemos hacer?

a) Hacer que el niño incline la cabeza hacia arriba, con la boca abierta.

b) Hacer que el niño incline la cabeza hacia arriba, con la boca cerrada.

c) Hacer que el niño incline la cabeza hacia abajo, con la boca abierta.

d) Hacer que el niño incline la cabeza hacia abajo, con la boca cerrada.

Preguntas de reserva

1. Alrededor de los dos años de edad aparece un tipo de juego que nos indica que el niño ya ha alcanzado una función muy importante para el desarrollo del lenguaje. ¿A qué tipo de juego y a qué función nos referimos?

a) Juego de reglas. Función reguladora.

b) Juego simbólico. Función simbólica.

c) Juego funcional. Función heurística.

d) Juego sensoriomotor. Función cognoscitiva.

2. A la hora de diseñar las actividades para la enseñanza y aprendizaje del lenguaje oral de nuestro grupo debemos tener en cuenta:

a) Deben estar bien organizadas en función de los objetivos que queremos conseguir.

b) Deben responder a las características personales de los alumnos.

c) Preferentemente deben estar relacionadas con la vida diaria y tener un significado personal que despierte el interés del alumno.

d) Todas son correctas.

3. ¿Cuál es uno de los contenidos del bloque "Comunicación verbal oral. Comprensión-expresión-diálogo"?

a) La comunicación interpersonal: empatía y asertividad.

b) Ampliación del repertorio lingüístico individual.

c) Comprensión y utilización de palabras o expresiones que responden a sus necesidades o intereses.

d) Expresión vocal y articulación de las palabras. Juegos de imitación, lingüísticos y de percepción auditiva.

Solución al supuesto n.º 1

1. c) Con 24 meses.

2. b) Primeras combinaciones sustantivo-verbo, sustantivo-adjetivo.

3. b) Utilizar el lenguaje verbal de forma cada vez más adecuada a las diferentes situaciones de comunicación para comprender y ser comprendido por los otros y para regular la actividad individual y grupal.

4. d) Gusto e interés por expresarse oralmente.

5. a) Utilización del lenguaje oral, como medio de comunicación con los otros: con diferentes interlocutores, con diferentes contextos, con distinto contenido e intenciones.

6. a) Dar prioridad a la comunicación, a la interacción verbal con el otro.

7. d) Todas las respuestas son correctas.

8. d) Diálogo.

9. d) Son ciertas las respuestas b) y c).

10. c) Comprender órdenes sencillas.

11. a) La imitación diferida.

12. d) Un indicio de que el niño ha penetrado con éxito en la parte más difícil del lenguaje: las reglas sintácticas.

13. c) Tercer nivel de concreción curricular.

14. a) Comunicación y Representación de la Realidad.

15. c) Competencia en comunicación lingüística.

16. b) Empleo de un lenguaje rico y libre de estereotipos de género.

17. d) Participar con interés en interacciones cotidianas utilizando diferentes sistemas comunicativos.

18. d) Todas son correctas.

19. c) Actividades de refuerzo.

20. c) Que sea formulada desde el punto de vista del adulto y no desde la perspectiva del niño.

21. d) Todas son correctas.

22. b) Cuentos.

23. b) Palabras pívot.

24. c) Palabras pívot.

25. c) Dificultad de la lengua materna.

26. b) En un ambiente estimulante y a la vez ordenado.

27. d) Todas son correctas.

28. a) Adecuación de la estructura organizativa del centro (horarios, agrupamientos, espacios) y de la organización y gestión del aula a las características del alumnado.

29. d) Sí, porque la Atención Temprana se dirige a la población infantil de 0 a 6 años, a su familia y a su entorno, y que tiene por objetivo dar respuesta lo antes posible a las necesidades transitorias o permanentes que presentan los niños y las niñas con trastornos en el desarrollo o en riesgo de padecerlos.

30. c) Hacer que el niño incline la cabeza hacia abajo, con la boca abierta.

Preguntas de reserva

1. b) Juego simbólico. Función simbólica.

2. d) Todas son correctas.

3. d) Expresión vocal y articulación de las palabras. Juegos de imitación, lingüísticos y de percepción auditiva.

SUPUESTO N.º 2

Las propuestas educativas en los primeros años giran, básicamente, en torno a las rutinas y el juego por ser éstas las actividades que conforman su vida, su manera de vivir, de crecer y por tanto de aprender. Sobre la organización de rutinas, hábitos y juegos en un aula de 1 a 2 años, debemos contestar a las preguntas que a continuación se plantean.

1. De las siguientes actividades indica cuál de ellas NO se considera una rutina:

a) Entrada y salida.
b) Alimentación.
c) Fiesta de cumpleaños.
d) Descanso.

2. ¿Cuál de las siguientes actividades puede considerarse como NO ocasional en tu aula?

a) Carnavales.
b) Fiestas.
c) Día de la Comunidad.
d) Cambio de pañal.

3. Señala aquella opción más correcta, relacionada con la organización de la entrada:

a) No debemos permitir que los niños/as traigan objetos personales que puedan ejercer de sustituto afectivo de la casa-familia.
b) Es el momento para plantear grandes exigencias.
c) No es el momento en el que los niños/as manifiestan conductas de angustia.
d) El diálogo con la familia facilita la seguridad.

4. Señala la opción incorrecta sobre la organización de la salida:

a) No es el momento más adecuado para que los niños y niñas elijan el tipo de actividad y relaciones que prefiere.
b) Utilizar canciones de despedida que le ayuden a prever lo que va a pasar.
c) Es habitual que haya un intercambio de información, tanto con el niño/a, como con el educador/a a través de la nota diaria y/o comunicación verbal.
d) Utilizar rituales que le faciliten el cambio de espacio.

5. Indica la postura más adecuada para alimentar a los niños/as de esta edad:

a) Cogidos en brazos y de manera individualizada.
b) Sentados ante una mesa y de manera individualizada.
c) Sentados de forma colectiva.
d) Ninguna opción es correcta.

6. Señala la opción incorrecta respecto a la organización del descanso:

a) Los ciclos de actividad-descanso son más cortos que en el adulto.
b) No debemos permitir que los niños/as utilicen el chupete o balancearlos aunque lo necesiten para relajarse.
c) Debemos disponer de un espacio tranquilo, sin ruidos, aireado, con posibilidades de oscurecerlo.
d) La recuperación física tras el cansancio por parte de los más pequeños es más rápida que la de los adultos.

7. ¿Cuál de los siguientes juegos es más adecuado para los niños/as una vez que saben andar?

a) Simbólico.
b) Heurístico.
c) Cesto del tesoro.
d) Ninguna opción es cierta.

8. ¿Cómo debe ser la conducta del educador/a durante la fase exploratoria del juego heurístico?

a) Observadora.
b) Tranquila y atenta.
c) Debe estar apartado y no participar.
d) Todas las respuestas son ciertas.

9. ¿Qué actividad o actividades realizan los niños y niñas en el juego heurístico?

a) Comparar.
b) Clasificar.
c) Representar roles.
d) Son ciertas las respuestas a) y b).

10. ¿A qué edad aproximadamente debemos iniciar a los niños/as en el control de esfínteres?

a) A los 2 meses.
b) A los 36 meses.
c) A los 30 meses.
d) Entre los 18 y 24 meses.

11. La rutina permite la automatización de los hábitos. El aprendizaje de un hábito pasa por varias fases. ¿En cuál de ellas el hábito está totalmente interiorizado de modo que el niño es capaz de realizar la conducta aprendida de forma autónoma sin intervención de un tercero, en el momento en que la situación lo requiere?

a) Fase de automatización.
b) Fase de consolidación.
c) Fase de preparación.
d) Fase de aprendizaje.

12. ¿Cuál de los siguientes consejos metodológicos sobre el aprendizaje de hábitos no es correcto poner en práctica con nuestro grupo de alumnos?

a) Además de la práctica y repetición de las conductas que conforman el hábito, podemos utilizar canciones, poesías, retahílas, juegos, cuentos o programas infantiles educativos que traten sobre el tema que se quiera trabajar.
b) Obtendremos mejores resultados si se presentan las pautas de forma lúdica.
c) El papel del adulto debe ser directivo y autoritario.
d) Es fundamental respetar el tiempo que necesita cada niño/a para adquirir el hábito (individualización).

13. Entre las actividades para incitar el interés del niño en el control de esfínteres podemos citar:

a) Acompañar a la zona de aseo a otros niños que ya están iniciados en el control de esfínteres y que observe qué y cómo lo hacen.
b) Aproximación al conocimiento del orinal y del inodoro pequeño y adaptado (abertura de la tapa adaptada a la edad y características físicas).
c) Realización de micciones y deposiciones con una cierta frecuencia en un grupo pequeño de varios niños a la vez.
d) Todas son correctas.

14. En relación a la higiene corporal, ¿cuál de los siguientes hitos evolutivos pueden alcanzar los alumnos de nuestro grupo (1-2 años)?

a) Necesita ayuda para finalizar bien el baño, pero es más independiente.
b) Se lava correctamente las manos.
c) Se inicia en el aprendizaje de lavarse las manos.
d) Empieza a peinarse, si tiene el cabello corto.

15. Para iniciar al niño en el hábito de vestirse:

a) Iremos de los más fácil a lo más difícil.
b) Iremos ordenadamente desde la cabeza hasta los pies.
c) Iremos ordenadamente desde los pies a la cabeza.
d) Seguiremos la ley próximo distal.

16. Teniendo en cuenta la edad de nuestros alumnos, las actividades que requieran una mayor concentración y atención se realizarán:

a) A primera hora de la mañana que es cuando los niños presentan una mayor disposición atencional.
b) A mitad de la mañana que es cuando los niños presentan una mayor disposición atencional.
c) A última hora de la mañana que es cuando los niños presentan una mayor disposición atencional.
d) Por la tarde que es cuando los niños presentan una mayor disposición atencional.

17. ¿Qué tipo de juego es más frecuente a la edad de nuestro grupo de alumnos?

a) Juego simbólico.
b) Juego en paralelo.
c) Juego centrado en el propio cuerpo.
d) Juego de reglas.

18. Según la teoría de Piaget, el niño de 0 a 2 años se encuentra en una etapa de juego sensoriomotor. ¿Cuál de las siguientes actividades son consideradas por este autor como juego sensoriomotor?

a) El niño actúa como si fuese otra persona.
b) El niño actúa como si se encontrara en otra situación diferente a la real.
c) La imitación sistemática y la exploración de lo nuevo.
d) El aprendizaje a través de la narración de cuentos.

19. Según la clasificación de juegos de Jean Chateau, ¿qué tipo de juegos, característico de los niños entre 0 y 3 años, buscan el placer mediante actividades que estimulan los sentidos?

a) Juegos funcionales.
b) Juegos hedonísticos.
c) Juegos con los nuevos.
d) Juegos de destrucción.

20. En qué tipo de juego el niño juega sólo, con su cuerpo o con los objetos, pero necesita que el educador esté presente dándole confianza y seguridad aunque no intervenga directamente en el juego?

a) Juego espontaneo.
b) Juego dirigido.
c) Juego planificado.
d) Juego presenciado.

21. Por la edad de nuestro grupo de alumnos sería apropiado realizar actividades de juego heurístico. ¿Cuál de los siguientes requisitos es incorrecto?

a) Es necesario contar con un mínimo de quince tipos de objetos.
b) Cuando el material no se utilice se deberá guardar en bolsas (50 x 50 cm) con cierre de cinta. Tendremos una bolsa para cada tipo de objeto.
c) Una pequeña cantidad de objetos de cada tipo (5 o 6 unidades de cada objeto).
d) El educador/a colocará los objetos siendo los niños/as los que los elijan sin ninguna sugerencia.

22. ¿Cuál de los siguientes materiales sería apropiado para el juego heurístico?

a) Pinzas de tender.
b) Pelotas de ping-pong.
c) Llaves.
d) Todas son correctas.

23. A la hora de establecer las rutinas cotidianas de nuestros alumnos debemos partir de:

a) El horario general elaborado por la dirección del centro.
b) Los ritmos biológicos de los niños.
c) Las propuestas individuales realizadas por los padres.
d) La disponibilidad del profesorado.

24. ¿Qué área del currículo de Educación Infantil se relaciona en mayor medida con las rutinas y la adquisición progresiva de hábitos saludables de alimentación, higiene y descanso?

a) Comunicación y Representación de la Realidad.
b) Crecimiento en Armonía.
c) Descubrimiento y Exploración del Entorno.
d) Desarrollo y vida sana.

25. Entre los contenidos del "Bloque 3. Hábitos de vida saludable para el autocuidado y el cuidado del entorno" del área a que nos referimos en la pregunta anterior, no figura:

a) Acciones que favorecen la salud y generan bienestar. Interés por ofrecer un aspecto saludable y aseado.
b) Adquisición de la autonomía progresiva en los hábitos de descanso, alimentación, higiene y limpieza.
c) Adquisición progresiva del equilibrio estático y dinámico.
d) Adaptación progresiva de los ritmos biológicos propios a las rutinas de grupo.

26. Durante una actividad de juego que se realiza en el patio, un alumno sufre la picadura de un mosquito y se produce una inflamación en la zona de la picadura, ¿qué debemos hacer?

a) Nada. Las picaduras de mosquitos no son peligrosas.
b) Limpiar la zona con agua, aplicar un antiséptico y tapar con una gasa estéril.
c) Aplicar frío local.
d) Aplicar calor local.

27. Como sabemos, el juego promueve la creación de zonas de desarrollo potencial. ¿Por qué es importante esto?

a) Porque es la zona por la que puede moverse el niño para construir aprendizajes significativos.
b) Porque favorece la coordinación de los movimientos del cuerpo.
c) Porque favorece el desarrollo de la motricidad fina.
d) Porque permite al niño exteriorizar simbólicamente su agresividad.

28. A partir del año el juego de los niños:

a) Se centra en su propia realidad corporal.
b) Se dirige hacia el exterior.
c) Empieza a ser simbólico.
d) Se caracteriza por la diferenciación de sexos en cuanto a juego.

29. Según la teoría del juego de Piaget, ¿sería posible el juego de construcción para nuestros alumnos, sabiendo que se encuentran en el periodo sensoriomotor?

a) No, porque el juego de construcción es característico del estadio preoperacional (2-6 años).
b) No, porque el juego de construcción es característico del estadio de las operaciones concretas (7-12 años).
c) No, porque el juego de construcción es característico del estadio de las operaciones formales (12 años en adelante).
d) Sí, porque no se asocia a una etapa de desarrollo concreta. Este tipo de juego se inicia alrededor del año de edad y se va desarrollando de forma paralela a los demás tipos de juego.

30. En el período de 0-3 años (en el que se incluye nuestro grupo de alumnos), las actividades por rincones se basan en:

a) El juego dirigido por el adulto.
b) El juego libre y espontáneo del niño.
c) El juego simbólico.
d) No utilizar juguetes en el sentido tradicional, para así estimular la fantasía.

Preguntas de reserva

1. Entre los criterios de evaluación del "Bloque 3. Hábitos de vida saludable para el autocuidado y el cuidado del entorno" del área a que nos referimos en las preguntas anteriores, no figura:

a) Manifestar progresivamente sentimientos de seguridad, afecto y competencia en las propias acciones.

b) Practicar un estilo de vida saludable y de bienestar integral mediante una alimentación equilibrada y placentera, un descanso autónomo y suficiente, el gusto por la limpieza y la adecuación en el atuendo.

c) Reconocer y anticipar la sucesión temporal de los ritmos biológicos, rutinas y pautas socioculturales que estructuran la dinámica cotidiana, asociándola a elementos, procedimientos y actitud concretas.

d) Adquirir hábitos relacionados con la limpieza, cuidado y orden en su entorno.

2. ¿Qué tipo de juegos se caracteriza por movimientos espontáneos que se repiten instintivamente y que contribuyen al desarrollo de determinadas funciones humanas?

a) Juegos funcionales.
b) Juegos hedonísticos.
c) Juegos con los nuevos.
d) Juegos de destrucción.

3. Señala lo correcto respecto al sueño del niño de 1 a 3 años, entre los que se encuentran los de nuestro grupo:

a) Se puede esperar que los niños que aún no caminan bien duerman entre 12 y 13 horas por día.

b) Los niños de esta edad ya no necesitan siestas durante el día.

c) Los niños de esta edad necesitan dormir una pequeña siesta (5-10 minutos) cada 3 horas aproximadamente.

d) Ninguna es correcta.

Solución al supuesto n.º 2

1. c) Fiesta de cumpleaños.

2. d) Cambio de pañal.

3. d) El diálogo con la familia facilita la seguridad.

4. a) No es el momento más adecuado para que los niños y niñas elijan el tipo de actividad y relaciones que prefiere.

5. b) Sentados ante una mesa y de manera individualizada.

6. b) No debemos permitir que los niños/as utilicen el chupete o balancearlos aunque lo necesiten para relajarse.

7. b) Heurístico.

8. d) Todas las respuestas son ciertas.

9. d) Son ciertas las respuestas a) y b).

10. d) Entre los 18 y 24 meses.

11. b) Fase de consolidación.

12. c) El papel del adulto debe ser directivo y autoritario.

13. d) Todas son correctas.

14. c) Se inicia en el aprendizaje de lavarse las manos.

15. a) Iremos de los más fácil a lo más difícil.

16. a) A primera hora de la mañana que es cuando los niños presentan una mayor disposición atencional.

17. b) Juego en paralelo.

18. c) La imitación sistemática y la exploración de lo nuevo.

19. b) Juegos hedonísticos.

20. d) Juego presenciado.

21. c) Una pequeña cantidad de objetos de cada tipo (5 o 6 unidades de cada objeto).

22. d) Todas son correctas.

23. b) Los ritmos biológicos de los niños.

24. b) Crecimiento en Armonía.

25. c) Adquisición progresiva del equilibrio estático y dinámico.

26. c) Aplicar frío local.

27. a) Porque es la zona por la que puede moverse el niño para construir aprendizajes significativos.

28. b) Se dirige hacia el exterior.

29. d) Sí, porque no se asocia a una etapa de desarrollo concreta. Este tipo de juego se inicia alrededor del año de edad y se va desarrollando de forma paralela a los demás tipos de juego.

30. b) El juego libre y espontáneo del niño.

Preguntas de reserva

1. a) Manifestar progresivamente sentimientos de seguridad, afecto y competencia en las propias acciones.

2. a) Juegos funcionales.

3. a) Se puede esperar que los niños que aún no caminan bien duerman entre 12 y 13 horas por día.

SUPUESTO N.º 3

Tenemos una escuela infantil ubicada en un municipio cercano a la capital. La población ha crecido considerablemente en los últimos años. La participación de los padres y madres en el centro es importante. Queremos lograr una mayor implicación de la familia en el proceso educativo.Conteste a las cuestiones que se le plantean referentes al trabajo del educador en relación a este tema.

1. Durante el periodo de adaptación podemos permitir la presencia de los padres en el aula, pero es importante que sean conscientes de que la función que tiene su presencia es:

a) Aclarar con los educadores los puntos que no han quedado claros en la reunión binicial.
b) Entablar relación con los demás padres para favorecer el desarrollo social de los niños.
c) Permitir al niño explorar libremente el nuevo entorno, con la confianza que le da el hecho de tener cerca una figura de apego.
d) Conocer las normas del centro, materiales educativos, organización del aula, etc.

2. Entre las recomendaciones que podemos hacer a los padres ante el inicio de la escuela de sus hijos encontramos:

a) Visitar la escuela.
b) No hablar a los niños de la escuela.
c) Mantener los horarios y hábitos, aunque sean diferentes a los de la escuela. Los cambios se realizarán una vez finalizado el periodo de adaptación.
d) Todas son correctas.

3. Es importante contar con datos e informaciones que nos ayuden a conocer al niño antes de comenzar el trabajo con él. Estas informaciones se recaban en:

a) La reunión general de padres previa al inicio de curso.
b) La entrevista inicial.
c) Las visitas de los padres a la clase durante el periodo de adaptación.
d) Los intercambios informales a la entrada o salida de los niños.

4. Si observamos en uno de nuestros alumnos desconfianza, retracción y baja competencia social, lo más probablemente es que sus padres en relación a sus actuaciones y prácticas educativas sean:

a) Padres autoritarios.
b) Padres permisivos.
c) Padres democráticos.
d) Padres poco afectuosos.

5. Para una correcta relación con los padres debemos tener en cuenta sus expectativas. Entre las más comunes y con carácter general podemos citar:

a) Atención de los hijos en un clima de seguridad y confianza.
b) Estar informados respecto a sus hijos.
c) Que la escuela no signifique un proceso de ruptura con la familia.
d) Todas son correctas.

6. Para lograr la participación de las familias debemos informarles de los cauces y formas de participación de los padres en el Centro de Educación Infantil, dichos cauces deben concretarse en:

a) La Programación Anual.
b) El Proyecto Educativo.
c) El Proyecto de Gestión.
d) Las Normas de Organización y Funcionamiento.

7. ¿Qué medio es más adecuado para informar a los padres de nuestros alumnos sobre el proyecto educativo que se desarrolla en el Centro/aula?

a) Tutorías de padres/madres.
b) Asamblea de padres/madres.
c) Escuela de padres/madres.
d) En encuentros informales a la entrada del centro.

8. ¿Qué medio es más adecuado para que los padres nos comenten los progresos del niño, sus adquisiciones, sus actividades preferidas, etc.?

a) Tutorías de padres/madres.
b) Asamblea de padres/madres.
c) Escuela de padres/madres.
d) En encuentros informales a la entrada del centro.

9. Esta semana queremos organizar una actividad en la que nos gustaría contar con la colaboración de los padres de nuestros alumnos. ¿Cuál de las siguientes actividades sería apropiada para dicha colaboración?

a) Colaboración en talleres monográficos.
b) Colaboración en actividades cotidianas del aula.

c) Colaboración en la gestión económica del aula.
d) Todas son correctas.

10. Vamos a organizar la reunión de inicio de curso con los padres de nuestros alumnos. ¿Cuál de las siguientes actuaciones es menos pertinente en este momento?

a) Informar sobre el horario de los alumnos.
b) Informar sobre la composición del equipo educativo.
c) Recabar información sobre el desarrollo evolutivo de los niños.
d) Comentar las características de la edad y del nivel escolar en que se encuentran sus hijos.

11. Queremos mantener contacto con los padres a lo largo del curso. ¿Cuántas reuniones cree que deberíamos organizar al menos durante todo el curso?

a) Una reunión semanal.
b) Una reunión mensual.
c) Una reunión trimestral.
d) Una reunión anual.

12. Uno de nuestros alumnos avanza muy lentamente y hemos citado a los padres para una entrevista para tratar de entender el motivo y realizar una intervención educativa más apropiada a sus necesidades. ¿Cómo es más correcto afrontar la entrevista en este caso?

a) La entrevista debe girar exclusivamente alrededor del problema, para poder buscar una solución efectiva.

b) Aunque tratemos el problema del niño, destacaremos sus logros y capacidades más que sus problemas o dificultades.

c) Para esta situación no es necesario mantener una entrevista con los padres.

d) En la entrevista informaremos a los padres que, por las características del niño, lo más apropiado sería escolarizarlo en un centro de educación especial.

13. A punto de terminar el primer trimestre ya conocemos bastante a nuestros alumnos y estamos citando a los padres para mantener con ellos entrevistas individuales para informarles sobre la evolución de sus hijos y que ellos nos informen a su vez sobre lo que han observado en sus hijos en este periodo. ¿Cómo debe ser nuestra actitud en esta entrevista?

a) Positiva hacia los niños, destacando sus logros y capacidades más que sus problemas o dificultades.

b) Firme, en cuanto a la defensa de concepciones y estrategias acordes con los planteamientos de base, aunque en disposición de explicarlos para que sean comprendidos.

c) Respetuosa y cordial, teniendo presente la importancia de establecer una corriente de comunicación adecuada con los padres.

d) Todas son correctas.

14. Estamos preparando las entrevistas iniciales con los padres a principio de curso. ¿Cuál de las siguientes situaciones considera más favorable?

a) Siempre es mejor que ambos padres estén en la entrevista y, como norma general, suele ser preferible que el niño esté presente.

b) Siempre es mejor que solo la madre (o el padre, en el caso de que sea el que se ocupe de la educación del niño) esté en la entrevista y, como norma general, suele ser preferible que el niño esté presente.

c) Siempre es mejor que ambos padres estén en la entrevista y, como norma general, suele ser preferible que el niño no esté presente.

d) Siempre es mejor que solo la madre (o el padre, en el caso de que sea el que se ocupe de la educación del niño) esté en la entrevista y, como norma general, suele ser preferible que el niño no esté presente.

15. Tenemos una reunión de padres a las 17:00. Ya es la hora, pero faltan por llegar algunos padres que han confirmado su asistencia. ¿Qué hacemos?

a) Empezamos la reunión de forma inmediata.

b) Esperamos un tiempo de cortesía razonable, pero por respeto a los demás, tampoco se debe retrasar el inicio de la reunión.

c) Esperamos a que lleguen todos los que han confirmado su asistencia.

d) Si no están todos, anulamos la reunión y la convocamos para otro día.

16. Estamos colocando las sillas para empezar una reunión de padres. ¿Qué disposición es más adecuada si pretendemos fomentar la participación y colaboración de las familias y favorecer la interacción?

a) En hilera mirando al educador que se sitúa al frente.

b) En círculo.

c) Dejamos las sillas en la puerta para que las cojan los padres y las coloquen donde quieran.

d) La disposición de las sillas no influye en la participación de las familias.

17. En una reunión de padres grupal uno de los padres nos pregunta sobre el comportamiento de su hijo en la clase. ¿Qué debemos hacer ante esta pregunta?

a) Respondemos educadamente, para eso son las reuniones de padres.

b) Respondemos y aprovechamos la pregunta para contarles también a los demás padres los aspectos concretos sobre el comportamiento de sus hijos.

c) Le haremos saber que los temas particulares deben ser tratados en la tutoría a través de entrevistas personales y no ante todo el grupo.

d) Paramos la reunión y le respondemos de forma privada.

18. Hoy uno de nuestros alumnos ha comido menos cantidad de lo que come habitualmente a pesar de que nos consta que el menú le gusta mucho. Al cambiarle el pañal hemos observado que las deposiciones son muy acuosas. ¿Qué medio es más apropiado para transmitir esta información a los padres?

a) No es necesario que informemos a los padres ya que no se trata de aspectos pedagógicos.
b) Los citamos para una entrevista urgente esa misma tarde.
c) Mediante contacto informal cuando vengan a recoger al niño.
d) A través de un informe individual.

19. Vamos a celebrar el carnaval en el centro. Queremos elaborar los disfraces con papel y material de reciclaje en una actividad en la que participen los niños. Queremos contar con la participación de los padres para aportar el material que necesitamos. ¿Cómo transmitimos esta información?

a) Mediante nota informativa.
b) Mediante una circular.
c) Convocamos una reunión de padres.
d) Mediante contacto informal cuando vengan a recoger al niño.

20. En base a nuestra programación vamos a iniciar a un grupo de alumnos en el control de esfínteres. ¿Cuál de las siguientes opciones es más adecuada?

a) Esta tarea no corresponde a los educadores de la escuela infantil, sino a la familia.
b) Lo haremos sin contar con la familia, pues puede entorpecer el proceso de entrenamiento.
c) Nos pondremos de acuerdo con la familia para trabajar juntos en la misma dirección y con criterios unánimes.
d) Informaremos a la familia, pero no contaremos con su colaboración.

21. Para nuestra próxima reunión con los padres del grupo de alumnos de 2 años queremos preparar una exposición sobre el desarrollo cognitivo de los niños de esta edad. A los dos años el niño acaba de entrar en el estadio preoperacional tras pasar por el periodo sensoriomotor. ¿Qué acontecimiento es característico del tránsito entre ambas etapas?

a) Las reacciones circulares secundarias.
b) La aparición de la función simbólica.
c) La aparición de la conducta intencional.
d) Inicio del pensamiento lógico.

22. La madre de uno de nuestros alumnos de 24 meses nos comenta muy preocupada que su hijo tiene problemas en el desarrollo del lenguaje, ya que ha observado que se refiere a sí mismo en tercera persona. ¿Qué podemos contestarle?

a) No tiene por qué preocuparse, precisamente es una de las características del lenguaje de los niños de esta edad.
b) Le recomendaremos la visita a un logopeda para iniciar el tratamiento cuanto antes.

c) Efectivamente es un signo de retraso en el desarrollo del lenguaje, pero no requiere la intervención logopédica.
d) Debe ser evaluado por un psicólogo para descartar el autismo.

23. Hoy tenemos una entrevista con los padres de un bebé de diez meses el cual se muestra irritable a la hora de dormir y le cuesta conciliar el sueño en la escuela infantil. Los padres nos comentan que en casa se duerme con un muñeco de peluche. ¿Cuál sería la respuesta más apropiada?

a) Eso está bien para casa, pero en la escuela infantil debe acostumbrarse a dormir sin el peluche.
b) Puede traerlo a la escuela infantil ya que se trata de un objeto transicional en el que el bebé deposita cierto apego y le ayuda a calmarse en momentos de tensión.
c) Ni en casa ni en la escuela infantil es apropiado un objeto transicional a esta edad.
d) No es un tema para tratar en una entrevista con los padres.

24. En una reunión con los padres de un grupo de niños de dos años nos comentan varios que sus hijos últimamente muestran muchas rabietas y que creen que está relacionado con la entrada en la escuela infantil. ¿Cuál puede ser nuestra respuesta?

a) Las rabietas de los niños a estas edades están relacionadas con las malas prácticas educativas o con padres excesivamente dominantes.
b) Las rabietas tienen un momento evolutivo en torno a los 2-3 años (periodo de oposición) en el que son naturales y han de ser abordadas con naturalidad y paciencia.
c) Se trata de un periodo evolutivo en el que es fundamental que consigan lo que quieren mediante la rabieta para así afianzar su autoestima.
d) Ninguna es correcta.

25. En una reunión de grupo los padres se muestran muy interesados en la educación en valores y preguntan qué valores se pueden trabajar en la educación infantil. ¿Qué podemos responder?

a) La autoestima, aceptación y confianza en sí mismo/a.
b) Participación en el grupo y en el establecimiento de las normas.
c) Respeto a la diversidad.
d) Todas son correctas.

26. Los padres de uno de nuestros alumnos no acuden nunca a las citas ni reuniones. Al mismo tiempo observamos que no parecen preocuparse por el niño, y son habituales los moratones, magulladuras y quemaduras en el niño sobre los que ofrecen explicaciones ilógicas, contradictorias, no convincentes o bien no tienen explicación. ¿Qué debemos hacer?

a) Todos son indicadores de posible maltrato. Debemos comunicarlo a los servicios sociales competentes en base a lo establecido en la Ley Orgánica 8/2021, de 4 de junio, de protección integral a la infancia y la adolescencia frente a la violencia.

b) No podemos entrar en las técnicas de disciplina que utilizan las familias. Pertenecen al ámbito privado de la vida familiar.

c) Aunque son indicadores de posible maltrato, no podemos ponerlo en conocimiento de los servicios sociales hasta tener la certeza.

d) Invitaremos a los padres a participar en la escuela de padres para que adquieran destrezas educativas más adecuadas.

27. Una pareja viene a conocer nuestra escuela infantil con la finalidad de escolarizar a su hijo, pero, al tener su hijo una discapacidad intelectual leve, aún tienen dudas sobre hacerlo o no. ¿Qué podemos decirle?

a) Si el niño tiene discapacidad intelectual leve debe buscar una escuela infantil de educación especial, pues en una escuela ordinaria no se puede atender a sus necesidades educativas.

b) Aunque con discapacidad intelectual leve el niño puede ser escolarizado en un centro ordinario, no se aconseja su escolarización hasta las etapas obligatorias, es decir, la educación primaria.

c) Aunque no es imprescindible escolarizar a estos niños en la educación infantil, sí es aconsejable, ya que el medio escolar ofrece la relación con compañeros de su edad y posibilita experiencias que no tendría si permaneciera en casa con la familia.

d) Ninguna es correcta.

28. En la primera entrevista con los padres de una alumna nos comunican que su hija tiene hipoacusia. ¿Qué es la hipoacusia?

a) Una discapacidad intelectual leve provocada por una lesión a nivel cerebral, normalmente producida durante el parto.

b) Una discapacidad auditiva con una pérdida auditiva menor de 75 dB.

c) Una acumulación de una cantidad excesiva de líquido cefalorraquídeo en el cerebro, también llamada hidrocefalia.

d) Una afección en el sistema neuromuscular a nivel central o periférico, dando como resultado alteraciones en el control del movimiento y la postura.

29. En la primera reunión con los padres antes de empezar el curso ¿qué podemos explicarles sobre el periodo de adaptación?

a) El período de adaptación es el tiempo que se emplea para que el niño o la niña se habitúen a la separación de la figura de apego.

b) El periodo de adaptación se debe planificar escalonando los días y horas de comienzo, tratando así de conseguir una habituación progresiva a la nueva circunstancia.

c) Para que el niño lleve a cabo una buena adaptación, es imprescindible que los padres asuman este momento con decisión y responsabilidad.

d)Todas son correctas.

30. La colaboración entre familia y escuela es tan importante que tiene su respaldo legal. ¿A quién corresponde según el artículo 118 de la LOE la adopción de medidas que promuevan e incentiven la colaboración efectiva entre la familia y la escuela?

a) A los tutores.
b) A la dirección de los centros educativos.
c) A los coordinadores de ciclo.
d) A las Administraciones educativas.

Preguntas de reserva

1. ¿Qué medio es el más adecuado para el conocimiento mutuo de padres y educadores?

a) Tutorías de padres/madres.
b) Asamblea de padres/madres.
c) Escuela de padres/madres.
d) Participación a través del consejo escolar.

2. ¿Qué medio es más adecuado para obtener información sobre los hábitos de comida, sueño, higiénicos, etc. del niño?

a) Reunión de grupo.
b) Entrevista con los padres.
c) Escuela de padres.
d) AMPA.

3. ¿Qué medio es más adecuado para dar información sobre cómo se organiza la jornada escolar (rutinas, horarios, qué hacen…)?

a) Reunión de grupo.
b) Entrevista con los padres.
c) Escuela de padres.
d) AMPA.

Solución al supuesto n.º 3

1. c) Permitir al niño explorar libremente el nuevo entorno, con la confianza que le da el hecho de tener cerca una figura de apego.

2. a) Visitar la escuela.

3. b) La entrevista inicial.

4. a) Padres autoritarios.

5. d) Todas son correctas.

6. b) El Proyecto Educativo.

7. b) Asamblea de padres/madres.

8. a) Tutorías de padres/madres.

9. d) Todas son correctas.

10. c) Recabar información sobre el desarrollo evolutivo de los niños.

11. c) Una reunión trimestral.

12. b) Aunque tratemos el problema del niño, destacaremos sus logros y capacidades más que sus problemas o dificultades.

13. d) Todas son correctas.

14. c) Siempre es mejor que ambos padres estén en la entrevista y, como norma general, suele ser preferible que el niño no esté presente.

15. b) Esperamos un tiempo de cortesía razonable, pero por respeto a los demás, tampoco se debe retrasar el inicio de la reunión.

16. b) En círculo.

17. c) Le haremos saber que los temas particulares deben ser tratados en la tutoría a través de entrevistas personales y no ante todo el grupo.

18. c) Mediante contacto informal cuando vengan a recoger al niño.

19. a) Mediante nota informativa.

20. c) Nos pondremos de acuerdo con la familia para trabajar juntos en la misma dirección y con criterios unánimes.

21. b) La aparición de la función simbólica.

22. a) No tiene por qué preocuparse, precisamente es una de las características del lenguaje de los niños de esta edad.

23. b) Puede traerlo a la escuela infantil ya que se trata de un objeto transicional en el que el bebé deposita cierto apego y le ayuda a calmarse en momentos de tensión.

24. b) Las rabietas tienen un momento evolutivo en torno a los 2-3 años (periodo de oposición) en el que son naturales y han de ser abordadas con naturalidad y paciencia.

25. d) Todas son correctas.

26. a) Todos son indicadores de posible maltrato. Debemos comunicarlo a los servicios sociales competentes en base a lo establecido en la Ley Orgánica 8/2021, de 4 de junio, de protección integral a la infancia y la adolescencia frente a la violencia.

27. c) Aunque no es imprescindible escolarizar a estos niños en la educación infantil, sí es aconsejable, ya que el medio escolar ofrece la relación con compañeros de su edad y posibilita experiencias que no tendría si permaneciera en casa con la familia.

28. b) Una discapacidad auditiva con una pérdida auditiva menor de 75 dB.

29. d) Todas son correctas.

30. d) A las Administraciones educativas.

Preguntas de reserva

1. a) Tutorías de padres/madres.

2. b) Entrevista con los padres.

3. a) Reunión de grupo.

SUPUESTO N.º 4

La psicomotricidad en la Educación Infantil es un ámbito de intervención de primer orden. Los niños en esta etapa están construyendo su esquema corporal, y desarrollando habilidades motoras gruesas y finas que serán el fundamento para destrezas posteriores; así mismo, la estructuración espacio-temporal se iniciará en esta Etapa a partir, entre otras experiencias, de las psicomotoras. Por todo ello queremos organizar en nuestro centro un taller de psicomotricidad. Conteste a las cuestiones que se le plantean referentes al trabajo del educador en relación a este tema.

1. Uno de los contenidos a desarrollar en una sesión de psicomotricidad es el conocimiento del cuerpo, ¿cuál de los siguientes aspectos no es uno de los que se trabaja en esta área?

a) Esquema corporal.
b) Lateralidad.
c) Coordinación motriz.
d) Percepción y orientación temporal.

2. Tenemos un grupo de alumnos de 2 años que se están iniciando en las distintas formas de expresión plástica y gráfica. ¿Qué aspecto de la coordinación motriz podemos trabajar en nuestro taller de psicomotricidad para reforzar estos aprendizajes?

a) Coordinación dinámica general.
b) Coordinación ojo-mano.
c) Coordinación ojo-pie.
d) Coordinación extremidades superiores e inferiores.

3. Hemos preparado una serie de actividades sobre el conocimiento de las diferentes partes del cuerpo para trabajar en el taller el esquema corporal, pero ¿qué orden debemos seguir?

a) De las actividades más simples a las más complejas.
b) De las actividades que entrañan más dificultad a las que entrañan menos dificultad.
c) Siguiendo las leyes céfalo-caudal y próximo-distal.
d) El orden es indiferente siempre que los contenidos se trabajen repetidamente.

4. Un aspecto importante en toda programación es la evaluación. Según Ramírez del Hoyo, ¿cómo podemos realizar la evaluacion psicomotriz?

a) Observaciones puntuales directas sobre actividades.
b) Observaciones a través de escalas psicomotoras.
c) Pautas y patrones de desarrollo.
d) Todas son correctas.

5. Ajuriaguerra establece tres niveles de integración del esquema corporal. Teniendo en cuenta que nuestros alumnos son del primer ciclo de educación infantil, ¿en qué nivel se encontrarían?

a) Nivel del cuerpo vivenciado.
b) Nivel de discriminación perceptiva.
c) Nivel de la representación mental del propio cuerpo.
d) Los más pequeños se encuentran en el nivel de discriminación perceptiva y los mayores, en el nivel del cuerpo vivenciado.

6. Preparamos para hoy una sesión de psicomotricidad en la que trabajaremos específicamente la integración del esquema corporal. Nuestro grupo son niños de un año. ¿Sobre qué es más apropiado trabajar estos aspectos por primera vez?

a) Sobre muñecos tridimensionales.
b) Sobre muñecos en dos dimensiones (de cartón, sobre papel, puzles).
c) Sobre el propio cuerpo del niño.
d) Sobre dibujos esquemáticos del cuerpo humano (con pocos detalles).

7. En la discriminación y dominación de las distintas partes del cuerpo, ¿cuál de las siguientes partes dejaríamos para el final?

a) Cabeza.
b) Rodilla.
c) Dedos.
d) Brazos.

8. En una sesión de psicomotricidad estamos trabajando la lateralidad y observamos que una alumna utiliza predominantemente la mano izquierda. ¿Qué debemos hacer en esta situación?

a) Enseñarle a usar la mano derecha predominantemente. A esta edad es fácil corregir la zurdería.
b) La enseñaremos a usar también la mano derecha para lograr que sea ambidextra, con las ventajas que ello conlleva.
c) La ayudaremos a asentar su lateralidad, sin imponerle el uso del lado derecho.
d) Concertamos una entrevista con los padres para saber su opinión sobre qué mano desean que sea predominante en su hija y, en función de su respuesta, la enseñaremos a usar una u otra mano.

9. En la sesión de psicomotricidad de hoy vamos a trabajar la respiración y el control respiratorio. Como sabemos, el ciclo respiratorio se compone de tres fases, pero, ¿cómo podemos hacer que los niños comprendan el ciclo respiratorio?

a) Con dibujos esquemáticos.
b) Haciendo que llenen globos de aire.
c) En un principio se pueden exagerar cada una de las fases, pero después se irán ajustando a un ritmo normal.
d) No es necesario que se comprenda el ciclo.

10. Estamos programando la secuencia de actividades psicomotrices relacionada con el equilibrio estático para realizar en nuestra próxima sesión de psicomotricidad, ¿qué posiciones trabajaremos en primer lugar?

a) Posiciones y posturas habituales mantenidas en situaciones de menos equilibrio, como estar de pie sobre una silla.
b) Posiciones y posturas habituales y familiares: Estar de pie, sentado, tendido...
c) Posiciones y posturas no habituales: Estar de puntillas, sobre un solo pie.
d) El orden es indiferente.

11. En nuestra próxima sesión vamos a trabajar la motricidad gruesa. ¿Cuál de las siguientes actividades es menos apropiada para ello?

a) Andar a cuatro patas.
b) Imitación de movimientos de animales.
c) Rasgado de papel.
d) Carreras.

12. Después de las vacaciones de navidad nuestros alumnos han traído uno de sus regalos de reyes para enseñarlo a sus compañeros. Nos ha gustado un juego de construcción de piezas cúbicas de madera y hemos decidido usarlo para la sesión de psicomotricidad de hoy. ¿Para qué sería útil?

a) Desarrollo psicomotricidad gruesa.
b) Desarrollo psicomotricidad fina.
c) Integración del esquema corporal.
d) Control de la respiración.

13. Estamos diseñando actividades con papel para el desarrollo de la motricidad fina. ¿Cuál de las siguientes actividades es más apropiada para ello?

a) Arrugado.
b) Rasgado.
c) Picado.
d) Todas son correctas.

14. Un aspecto importante dentro de la psicomotricidad es el ritmo. Relacionado con el ritmo encontramos el concepto de "tempo", pero, ¿qué es el "tempo"?

a) Es el ritmo interior y se refiere a la lentitud o rapidez con que se manifiesta una secuencia rítmica o musical.
b) Se refiere al orden en que se va dominando el control sobre cada una de las partes del cuerpo.
c) La capacidad para adaptar los movimientos a una secuencia rítmica.
d) Ninguna es correcta.

15. En la toma de conciencia del espacio debemos distinguir entre espacio parcial y espacio total. ¿Qué actividad es más apropiada para trabajar el espacio parcial?

a) Simular que el niño es una marioneta y que alguien lo mueve desde fuera.
b) Hacer carreras para coger un objeto.
c) Gateo sobre superficies blandas.
d) Desplazarse siguiendo una trayectoria dibujada en el suelo.

16. Al programar las sesiones de psicomotricidad debemos tener en cuenta una serie de criterios a la hora de elegir los materiales. ¿Cuál de los siguientes criterios no es apropiado?

a) Deben ser numerosos para permitir la acción simultánea de un número grande de niños.
b) Deben ser variados para favorecer la riqueza de respuestas motrices y lúdicas.
c) Debemos huir de los materiales simples y poco costosos.
d) Todas son correctas.

17. Antes de iniciar una sesión de psicomotricidad, es necesario preparar a los niños corporalmente para ejecutar los distintos movimientos que vamos buscando. ¿Cómo podemos conseguirlo?

a) Haciendo diez minutos de carrera a ritmo medio.
b) Realizando actividades de relajación.
c) Realizando manualidades antes de iniciar la sesión.
d) Iniciando la sesión de psicomotricidad después de una clase de educación física.

18. Los expertos recomiendan proporcionar un medio de estimulación rico en las sesiones de psicomotricidad, ¿cómo podemos lograrlo?

a) Utilizando materiales de al menos cuatro colores diferentes.
b) Poniendo música durante toda la sesión.
c) Poniendo en juego el mayor número de vías sensitivas posibles.
d) Realizando la sesión al aire libre.

19. ¿Cómo podemos lograr que el control de los movimientos se realice desde el propio cuerpo a través del pensamiento y no desde fuera por orden o imitación de otra persona?

a) Dando órdenes simples y fácilmente comprensibles.
b) Utilizando modelos que se asemejen al niño.
c) Explicándolo de forma razonada.
d) Animándolos a que verbalicen lo que están haciendo, lo que van a hacer, o lo que hacen otros.

20. En base a la ley céfalo-caudal, ¿qué movimientos puede controlar antes el niño?

a) Piernas.
b) Brazos.
c) Cabeza.
d) Manos.

21. En base a la ley próximo-distal, ¿qué movimientos puede controlar antes el niño?

a) Tronco.
b) Brazos.
c) Manos.
d) Dedos.

22. En nuestra próxima sesión de psicomotricidad queremos trabajar el equilibrio, ¿cuál de las siguientes actividades es más apropiada?

a) Caminar sobre una línea trazada en el suelo progresivamente más fina.
b) Hacer pompas de jabón.
c) Caminar en diferentes direcciones.
d) Soplar con distintas intensidades y direcciones.

23. Una de las actividades a realizar en una sesión de psicomotricidad consiste en hacer pompas de jabón. ¿Qué estamos trabajando con dicha actividad?

a) El equilibrio.
b) La respiración.
c) La ubicación en el espacio.
d) La motricidad fina.

24. Tenemos un soporte con cremalleras, botones, cierres de velcro y cordones. ¿Para qué podemos utilizarlo en una sesión de psicomotricidad?

a) Para el desarrollo de la motricidad gruesa.
b) Para el desarrollo de la motricidad fina.

c) Para el desarrollo del aparato locomotor.
d) Para las actividades de relajación.

25. ¿Qué objetivo podemos incluir al hacer la programación del taller de psicomotricidad?

a) Adquirir la construcción dinámica general a través de diferentes modos de desplazamientos: marcha, gateo, arrastre, carrera...
b) Adquirir el equilibrio y control postural en situaciones específicas.
c) Conocer y vivenciar las distintas partes del cuerpo en uno mismo y en los demás, adquiriendo progresivamente el esquema corporal.
d) Todas son correctas.

26. Es importante que los niños traigan ropa cómoda que les facilite el movimiento. ¿qué medio considera más apropiado para informar a los padres sobre el día que vamos a realizar la sesión de psicomotricidad?

a) No podemos avisarlos puesto que se realizarán según la disponibilidad de tiempo y no conforme a una programación.
b) Mediante entrevistas personales con los padres.
c) Mediante nota informativa.
d) Mediante contacto informal cuando vengan a recoger al niño.

27. ¿Cuál de las siguientes opciones es más apropiada para evaluar las sesiones de psicomotricidad?

a) Cualitativa utilizando como técnica fundamental la observación sistemática.
b) Cuantitativa utilizando como técnica fundamental la observación sistemática.
c) No es necesario realizar evaluación.
d) Los propios niños valorarán los avances de sus compañeros.

28. Durante la sesión de psicomotricidad uno de los alumnos presenta una hemorragia nasal. ¿Cómo debemos actuar?

a) Haremos que el niño levante la cabeza hacia arriba.
b) Comprimir la fosa nasal sangrante con los dedos y, aún mejor, con un paño empapado en agua fría, durante unos minutos.
c) Las dos son correctas.
d) Llamaremos a los padres. Los primeros auxilios de este tipo no son función del educador.

29. ¿Con qué área del currículo de educación infantil se relacionan más los contenidos del taller de psicomotricidad?

a) Crecimiento en Armonía.
b) Descubrimiento y Exploración del Entorno.
c) Comunicación y Representación de la Realidad.
d) Conocimiento de sí mismo y autonomía personal.

30. Hemos incluido el taller de psicomotricidad en la programación general anual, pero ¿quién aprueba este documento?

a) El director o directora del centro.
b) El equipo directivo.
c) El consejo escolar.
d) El equipo de ciclo.

Preguntas de reserva

1. Sabemos que uno de los contenidos referidos al conocimiento del cuerpo es la lateralidad, pero ¿qué es la lateralidad?

a) La capacidad para desplazarse lateralmente.
b) La distinción entre izquierda y derecha.
c) Se refiere al predominio de una de las dos mitades simétricas del cuerpo.
d) La capacidad para usar indistintamente la mano derecha y la izquierda.

2. En las sesiones de psicomotricidad al trabajar el control de movimientos es importante la eliminación de sincinesias. ¿Qué son las sincinesias?

a) Movimientos involuntarios evocados en un grupo muscular distante por la actividad voluntaria de otro grupo muscular.
b) La dificultad para mantener la alerta y la atención.
c) La falta de conciencia sobre una parte del cuerpo, que se encuentra por lo general disminuida o anulada funcionalmente.
d) La pérdida de la capacidad para situarse correctamente en el espacio y en el tiempo.

3. Siguiendo a Wallon podemos establecer cuatro fases en la integración del esquema corporal. Nuestro grupo de alumnos tiene una media de edad de 18 meses. ¿En qué fase se encuentran?

a) Fase objetal.
b) Fase motórica.
c) Fase representativa.
d) Fase de concienciación y control.

Solución al supuesto n.º 4

1. d) Percepción y orientación temporal.

2. b) Coordinación ojo-mano.

3. c) Siguiendo las leyes céfalo-caudal y próximo-distal.

4. d) Todas son correctas.

5. a) Nivel del cuerpo vivenciado.

6. c) Sobre el propio cuerpo del niño.

7 .b) Rodilla.

8. c) La ayudaremos a asentar su lateralidad, sin imponerle el uso del lado derecho.

9. c) En un principio se pueden exagerar cada una de las fases, pero después se irán ajustando a un ritmo normal.

10. b) Posiciones y posturas habituales y familiares: Estar de pie, sentado, tendido...

11. c) Rasgado de papel.

12. b) Desarrollo psicomotricidad fina.

13. d) Todas son correctas.

14. a) Es el ritmo interior y se refiere a la lentitud o rapidez con que se manifiesta una secuencia rítmica o musical.

15. a) Simular que el niño es una marioneta y que alguien lo mueve desde fuera.

16. c) Debemos huir de los materiales simples y poco costosos.

17. b) Realizando actividades de relajación.

18. c) Poniendo en juego el mayor número de vías sensitivas posibles.

19. d) Animándolos a que verbalicen lo que están haciendo, lo que van a hacer, o lo que hacen otros.

20. c) Cabeza.

21. a) Tronco.

22. a) Caminar sobre una línea trazada en el suelo progresivamente más fina.

23. b) La respiración.

24. b) Para el desarrollo de la motricidad fina.

25. d) Todas son correctas.

26. c) Mediante nota informativa.

27. a) Cualitativa utilizando como técnica fundamental la observación sistemática.

28. b) Comprimir la fosa nasal sangrante con los dedos y, aún mejor, con un paño empapado en agua fría, durante unos minutos.

29. a) Crecimiento en Armonía.

30. c) El consejo escolar.

Preguntas de reserva

1. c) Se refiere al predominio de una de las dos mitades simétricas del cuerpo.

2. a) Movimientos involuntarios evocados en un grupo muscular distante por la actividad voluntaria de otro grupo muscular.

3. a) Fase objetal.

SUPUESTO N.º 5

Tal como se expresa en el Real Decreto 95/2022, de 1 de febrero, por el que se establece la ordenación y las enseñanzas mínimas de la Educación Infantil, los lenguajes artísticos, en tanto que sistemas simbólicos, adquieren particular relevancia en esta etapa. Dentro de los lenguajes artísticos podemos incluir el lenguaje musical, el lenguaje plástico y el lenguaje corporal. Se debe planificar el proceso de enseñanza y aprendizaje de estos lenguajes para un grupo de alumnos y alumnas de una unidad de 2 a 3 años. Conteste a las cuestiones que se le plantean referentes al trabajo del educador/a en relación a este tema.

1. Lowenfeld y Lambert proponen que la evolución de la expresión plástica en el niño se desarrolla según una serie de etapas evolutivas semejantes, aunque no idénticas, en todos. ¿En qué etapa se encuentran los niños de nuestra unidad según su edad?

a) Etapa de garabateo. Subetapa del garabato con nombre.
b) Etapa de garabateo. Subetapa del garabato desordenado.
c) Etapa de garabateo. Subetapa del garabato controlado.
d) Etapa preesquemática.

2. Teniendo en cuenta las etapas descritas por Lowenfeld y Lambert, las producciones gráficas de nuestros alumnos se caracterizan por:

a) Será capaz de copiar una figura circular, aunque no figuras anguladas, como el cuadrado.
b) El niño dibuja, pero sin la finalidad de representar nada.
c) El niño sabe lo que quiere dibujar, y sabe coordinar su brazo con su visión para trazar rectas y curvas.
d) El niño es capaz de coordinar lo que ve con lo que pinta (coordinación óculo-manual).

3. Con respecto al uso del color en el dibujo, los niños de nuestra unidad, y teniendo en cuenta las etapas de Lowenfeld y Lambert:

a) No emplean el color de modo intencional.
b) Emplean el color de modo intencional en base a sus preferencias.
c) Emplean el color de modo intencional en base a la dimensión representativa, asignando así colores según el objeto que estén representando.
d) Solo utilizan los colores que conocen, es decir, los más básicos (rojo, verde, azul, amarillo).

4. A la hora de realizar la planificación sobre el contenido "El lenguaje y la expresión plásticos y visuales", ¿en qué área del currículo debemos incluirlo?

a) Crecimiento en Armonía.
b) Descubrimiento y Exploración del Entorno.
c) Comunicación y Representación de la Realidad.
d) Conocimiento de sí mismo y autonomía personal.

5. Queremos favorecer el desarrollo de la percepción de la fuerza ejercida sobre el instrumento, y su control, ¿qué técnica resulta ideal para ello?

a) Delinear.
b) Picar.
c) Plegar.
d) Arrugar.

6. ¿Con cual de las siguientes técnicas podemos contribuir a la mejor comprensión y representación mental del volumen?

a) Realización de un collage.
b) Modelado con plastilina.
c) Cualquier dibujo de expresión libre.
d) Estampado de las manos sobre papel.

7. Tenemos claro que la educación musical debe formar parte del currículo de educación infantil, pero, ¿por qué es importante la educación musical?

a) La educación musical educa y perfecciona los sentidos.
b) La educación musical potencia y refuerza la creatividad.
c) La música ayuda a perfeccionar el lenguaje.
d) Todas son correctas.

8. Realizamos una actividad para discriminar las diferentes cualidades del sonido. Ponemos una música y proponemos a los niños que den pasos largos o cortos en función de qué parámetro:

a) La intensidad.
b) El tono.
c) La duración.
d) El timbre.

9. Con respecto al sonido, no nos interesa tanto que el niño distinga entre sonido y ruido, como que distinga entre cualquiera de los dos anteriores y el silencio. Para ello ¿qué actividad es más apropiada?

a) Poner y quitar la música alternativamente para que estén en movimiento mientras haya música y que se queden quietos mientras haya silencio.

b) Poner y quitar la música alternativamente para que den palmadas mientras haya música y zapateen mientras haya silencio.

c) Poner y quitar la música alternativamente para que estén callados mientras haya música y que canten mientras haya silencio.
d) Explicarles la diferencia mediante láminas de dibujos.

10. Estamos haciendo una planificación con los contenidos sobre lenguaje musical que vamos a trabajar con este grupo de niños de Educación Infantil de Primer Ciclo. ¿Cuál de los siguientes contenidos podemos incluir?

a) Discriminación de algunos sonidos de la vida cotidiana.
b) Imitación de sonidos y ruidos habituales en su entorno.
c) Interpretación de canciones sencillas con apoyos gestuales.
d) Todas son correctas.

11. Vamos a explorar con nuestros alumnos las posibilidades musicales de los diferentes instrumentos de percusión. Dividimos la clase en tres grupos y a cada uno de ellos les damos respectivamente instrumentos de madera, de metal y de membrana. La última niña que nos queda por repartirle un instrumento está en el grupo de membrana. ¿Cuál de los siguientes instrumentos le damos?

a) Maracas.
b) Cascabeles.
c) Castañuelas.
d) Campanillas.

12. Realizamos una actividad que consiste en producir sonidos con un objeto y los niños, sin verlo, tienen que adivinar de qué objeto se trata. ¿Para qué sirve esta actividad?

a) Para la discriminación del tono.
b) Para la discriminación de la intensidad.
c) Para la discriminación del timbre.
d) Ninguna de las anteriores.

13. Recordemos que en nuestra unidad los alumnos tienen entre 2 y 3 años. Entre las características que deben reunir las canciones más apropiadas para que ellos puedan cantarlas podemos citar:

a) La letra de la canción debe poseer contenidos acordes con los intereses de los niños. Lenguaje simple y comprensible, fácil de memorizar.
b) La tonalidad debe ser tenida en cuenta. Son aconsejables los tonos con muchos sostenidos ni bemoles.
c) A estas edades la melodía debe adaptarse a la extensión vocal de los niños. Se debe comenzar con canciones de cinco sonidos (do-re-mi-sol-la).
d) Todas son correctas.

14. Queremos favorecer el movimiento tranquilo y las manifestaciones de recogimiento, quietud, relajación y encuentro con el otro a través de la música. ¿Cómo podemos lograrlo?

a) Con música de cualquier tipo en voz muy baja, casi imperceptible.
b) Con música de ritmo lento.
c) Con cualquier canción infantil.
d) Con canciones que hayan escuchado muchas veces y les resulten familiares.

15. Terminadas las actividades relacionadas con la educación musical, llega el momento de realizar la evaluación. Según Martínez Alcolea y Calvo, ¿qué criterio podemos utilizar para valorar la correcta adquisición de los aprendizajes?

a) Discriminar el contraste silencio-sonido y voces de personas (niño o adultos) significativas, así como los sonidos producidos por el propio cuerpo (boca, palmadas, patadas, etc.).
b) Reconocer el origen de sonidos habituales.
c) Interpretar canciones sencillas conocidas.
d) Todas son correctas.

16. ¿En qué área del currículo se incluyen los contenidos relacionados con el lenguaje y la expresión musicales?

a) Crecimiento en Armonía.
b) Descubrimiento y Exploración del Entorno.
c) Comunicación y Representación de la Realidad.
d) No se incluye en ninguna de las áreas puesto que no es un contenido sino un recurso metodológico para utilizar en cualquiera de las áreas.

17. El Real Decreto 95/2022, de 1 de febrero, por el que se establece la ordenación y las enseñanzas mínimas de la Educación Infantil, para trabajar el lenguaje y la expresión corporales en el primer ciclo incluye todos los aspectos siguientes excepto:

a) Expresión libre a través del gesto y el movimiento.
b) Desplazamientos por el espacio.
c) Posibilidades expresivas y comunicativas del propio cuerpo en actividades individuales y grupales libres de prejuicios y estereotipos sexistas.
d) Juegos de imitación a través de marionetas, muñecos u otros objetos de representación espontánea.

18. El siguiente enunciado "Iniciarse en las habilidades lógico-matemáticas, en la lecto-escritura y en el movimiento, el gesto y el ritmo" figura en la Ley Orgánica 2/2006, de 3 de mayo, de Educación como:

a) Uno de los objetivos de la educación infantil.
b) Una de las competencias clave establecidas en la Recomendación del Consejo de la Unión Europea de 22 de mayo de 2018 relativa a las competencias clave para el aprendizaje permanente.

c) Una de las competencias específicas del área de Comunicación y Representación de la Realidad.
d) Un criterio de evaluacion del área de Crecimiento en Armonía.

19. Con motivo de las fiestas de nuestra localidad vamos a realizar audiciones de música popular de nuestra tierra mientras realizamos un mural sobre las fiestas. ¿A qué competencia clave estamos contribuyendo con esta actividad?

a) Competencia personal, social y de aprender a aprender.
b) Competencia ciudadana.
c) Competencia emprendedora.
d) Competencia en conciencia y expresión culturales.

20. Vamos a realizar una actividad con instrumentos musicales para que los niños aprendan a discriminar los sonidos que producen cada uno de ellos. En nuestra clase hay un niño con discapacidad auditiva. ¿Cómo procedemos?

a) Lo llevamos a otra clase en la que estén desarrollando otra actividad para que no se sienta desplazado al no poder seguir la actividad.
b) Como sabemos que le gusta mucho hacer puzles, le damos uno para que se entretenga con él hasta que terminemos la actividad con los instrumentos.
c) Nuestro sistema educativo promueve la inclusión educativa, por lo que la respuesta educativa debe adaptarse a las características y necesidades personales. La actividad para este niño puede consistir en que toque el instrumento y perciba las vibraciones.
d) No haremos nada especial. Procedemos como con el resto de niños para que no se sienta discriminado.

21. Vamos a realizar una actividad extracurricular que consiste en asistir con los niños a una representación teatral de títeres. ¿En qué documento debe estar recogida esta actividad?

a) En el proyecto educativo.
b) En la memoria anual.
c) En las normas de organización, funcionamiento y convivencia.
d) En las programaciones didácticas.

22. Cuando nuestros alumnos nos muestran sus dibujos y producciones plásticas, les aplaudimos y colocamos sus dibujos en una parte visible de la clase para que puedan ser vistos por todos. En este caso estamos aplicando:

a) Refuerzo negativo.
b) Refuerzo positivo.
c) Castigo positivo.
d) Castigo negativo.

23. Para la fiesta de fin de curso se quiere diseñar una actividad que conjugue los diferentes lenguajes artísticos donde los niños puedan mostrar sus aprendizajes a lo largo del curso. El equipo de ciclo es el que se va a encargar de planificar la actividad. ¿Qué estructura de comunicación es más apropiada utilizar en las reuniones para que puedan participar todos los miembros del equipo de ciclo y se tengan en cuenta todas las aportaciones en condiciones de igualdad?

a) Estructura de rueda.
b) Estructura circular.
c) Estructura en forma de Y.
d) Estructura de cadena.

24. Teniendo en cuenta que a nuestra aula asisten niños de entre 2 y 3 años, a la hora de planificar actividades relacionadas con los lenguajes artísticos sería interesante tener en cuenta las etapas de desarrollo de Piaget. ¿En qué etapa se encuentran nuestros alumnos?

a) Periodo sensoriomotor.
b) Periodo preoperacional.
c) Periodo de las operaciones concretas.
d) Periodo de las operaciones formales.

25. Una actividad que usamos frecuentemente para favorecer el desarrollo del ritmo es pedir a los niños que se muevan al ritmo del sonido o de la música, en unos casos de forma libre y original y en otros siguiendo unas pautas. Para realizar esta actividad son fundamentales las sensaciones que aportan información sobre la situación del cuerpo en el espacio. ¿Cómo se denominan estas sensaciones?

a) Sensaciones interoceptivas.
b) Sensaciones propioceptivas.
c) Sensaciones exteroceptivas.
d) Sensaciones eidéticas.

26. ¿Con qué tipo de inteligencia de las descritas por Gardner se relaciona más la actividad anterior?

a) Inteligencia espacial.
b) Inteligencia interpersonal.
c) Inteligencia corporal–kinestésica.
d) Inteligencia emocional.

27. Hay un modelo pedagógico que se caracteriza, entre otros aspectos, por dar importancia de las actividades artísticas. Se da importancia a la creatividad, imaginación y originalidad de los niños. Los alumnos aprenden a través de la representación artística de los contenidos de lo que se les imparte. Son actividades habituales la pintura, moldear y manipular. ¿De qué modelo hablamos?

a) Federico Modelo de la educación integral.
b) Ovidio Decroly. Modelo de la Escuela para la vida, por la vida.

c) Loris Malaguzzi y la pedagogía de Reggio Emilia.
d) Rudolf Steiner y la pedagogía Waldorf.

28. Vamos a disponer en el aula un rincón de plástica y otro de música. ¿Cuál es labor del educador en la configuración de los rincones?

a) Preparar el espacio y el material de cada rincón.
b) Diseñar el tipo de actividades que se realizarán en cada uno de ellos y presentar diferentes técnicas que permitan a los niños expresarse con materiales variados.
c) Establecer algunas normas básicas sobre la utilización del material en cada rincón, el respeto al turno para la elección, la recogida del material utilizado.
d) Todas son correctas.

29. ¿Cuál de los siguientes factores tiene menor influencia en el desarrollo de la expresión plástica?

a) El momento de iniciación y la cantidad de exposición a dicha modalidad de expresión.
b) La calidad de sus experiencias.
c) El desarrollo de su percepción visual.
d) El desarrollo de su percepción auditiva.

30. Queremos celebrar el día de la paz con nuestros pequeños. Como actividad principal para enlazar el resto de contenidos hemos recortado en una esponja la silueta de una paloma que cada niño mojará en pintura y la transferirá a su papel. ¿Cómo se denomina la técnica que hemos utilizado?

a) Pulverización.
b) Collage.
c) Estampado.
d) Mosaico.

Preguntas de reserva

1. Entre los saberes básicos de una de las áreas se incluye: "El lenguaje y la expresión musicales", ¿Cuál de los siguientes contenidos no forma parte del mismo para el primer ciclo?

a) Reconocimiento, evocación y reproducción de canciones y otras manifestaciones musicales. Sentimientos y emociones que transmiten.
b) Intención expresiva en las producciones musicales.
c) Posibilidades sonoras y expresivas de la voz, el cuerpo, los objetos y los instrumentos.
d) La escucha como descubrimiento y disfrute del entorno.

2. Vamos a realizar una actividad para que los niños aprendan a discriminar ruido, melodía y silencio. Para ello vamos a asociarlos al plano motor. ¿Con qué asociaremos el ruido?

a) Con el desplazamiento silencioso por la clase.
b) Con movimientos no armónicos y desenfrenados.
c) Con palmadas rítmicas.
d) Con la inmovilidad. Jugamos a ser estatuas.

3. Michelet hace una clasificación de los juguetes atendiendo a los parámetros de la personalidad que se desarrollan a través del uso de los mismos. Las marionetas, disfraces e instrumentos musicales que acabamos de utilizar en una actividad de lenguaje musical y corporal ¿a qué tipo de juguetes, según este autor, pertenecen?

a) De afectividad.
b) De motricidad.
c) De creatividad.
d) De sociabilidad.

Solución al supuesto n.º 5

1. b) Etapa de garabateo. Subetapa del garabato desordenado.

2. b) El niño dibuja, pero sin la finalidad de representar nada.

3. a) No emplean el color de modo intencional.

4. c) Comunicación y Representación de la Realidad.

5. b) Picar.

6. b) Modelado con plastilina.

7 . d) Todas son correctas.

8. c) La duración.

9. a) Poner y quitar la música alternativamente para que estén en movimiento mientras haya música y que se queden quietos mientras haya silencio.

10. d) Todas son correctas.

11. a) Maracas.

12. c) Para la discriminación del timbre.

13. a) La letra de la canción debe poseer contenidos acordes con los intereses de los niños. Lenguaje simple y comprensible, fácil de memorizar.

14. b) Con música de ritmo lento.

15. d) Todas son correctas.

16. c) Comunicación y Representación de la Realidad.

17. c) Posibilidades expresivas y comunicativas del propio cuerpo en actividades individuales y grupales libres de prejuicios y estereotipos sexistas.

18. a) Uno de los objetivos de la educación infantil.

19. d) Competencia en conciencia y expresión culturales.

20. c) Nuestro sistema educativo promueve la inclusión educativa, por lo que la respuesta educativa debe adaptarse a las características y necesidades personales. La actividad para este niño puede consistir en que toque el instrumento y perciba las vibraciones.

21. d) En las programaciones didácticas.

22. b) Refuerzo positivo.

23. b) Estructura circular.

24. b) Periodo preoperacional.

25. b) Sensaciones propioceptivas.

26. c) Inteligencia corporal–kinestésica.

27. d) Rudolf Steiner y la pedagogía Waldorf.

28. d) Todas son correctas.

29. d) El desarrollo de su percepción auditiva.

30. c) Estampado.

Preguntas de reserva

1. b) Intención expresiva en las producciones musicales.

2. b) Con movimientos no armónicos y desenfrenados.

3. c) De creatividad.

Cómo acceder al Curso

Técnico/a Superior en Educación Infantil

Test y supuestos prácticos

El uso de los códigos **es exclusivo de los compradores de los productos de Editorial MAD**. Cada producto posee un código único y de un solo uso. Es personal e intransferible y da acceso a servicios y contenidos adicionales. Editorial MAD se reserva el derecho de hacer cuantas comprobaciones sean necesarias para identificar al legítimo poseedor del código y dejar de dar servicio a quien haga uso fraudulento del mismo, además de emprender cuantas acciones legales estime oportunas según la legislación vigente.

Deberás acceder a:

mad.es/registro-campus

Si una vez aceptadas las condiciones de uso del Campus decides hacer uso del mismo, necesitarás del siguiente código de acceso junto con los códigos del resto de títulos que se exigen (si fuera el caso):

SCAN63UK4D